RACKET AU COLLÈGE

L'auteur

Jo Pestum est né en 1936 à Essen. Après avoir étudié la peinture, il a vécu de petits boulots et a voyagé. Il a ensuite exercé les professions de rédacteur de magazine et de lecteur dans une maison d'édition. Depuis 1971, il est à la fois écrivain, auteur pour le cinéma, la radio et la télévision, et éditeur. Il écrit pour la jeunesse et les adultes, et a reçu de nombreux prix littéraires.

Du même auteur, en Kid Pocket :

Zorro Circus

Jo PESTUM

Racket au collège

Traduit de l'allemand par
Stéphanie Aurin

LYCÉE FRANÇAIS Ch. de Gaulle
ANNEXE WIX SCHOOL
Wix's Lane
Clapham Common North Side
LONDON SW4 0AJ
Tel/Fax: 020 7738 0287

POCKET
jeunesse

Titre original :
Heinrichs Geheimnis

Loi n° 49-956 du 16 juillet 1949 sur les publications destinées
à la jeunesse : juillet 1998.

© 1992 by K. Thienemanns Verlag Stuttgart-Wien-Bern.
© 1998, éditions Pocket Jeunesse, pour la traduction française
et la présente édition.

ISBN 2-266-09186-7

AVANT-PROPOS

J'ai inventé les personnages et l'histoire de ce roman. Cependant, ce sont certains événements très préoccupants, survenus dans un grand établissement scolaire d'une ville de la Ruhr, qui m'ont donné l'idée d'écrire ce récit.

Je sais qu'aujourd'hui les élèves peuvent être confrontés à des situations plus difficiles encore. C'est pourquoi je dédie ce livre à tous les jeunes gens qui ont su conserver le sens de l'amitié et de la solidarité.

Jo PESTUM

CHAPITRE PREMIER

LE NOUVEAU

Les yeux qu'il avait ! Il ne rougit même pas en entendant nos ricanements, nos rires étouffés et nos idioties habituelles. Évidemment, l'arrivée d'un nouveau dans la classe n'avait rien d'exceptionnel. Dans notre école, il y avait un va-et-vient permanent. C'est sans doute toujours comme cela dans les grandes villes marquées par l'empreinte des mines, des charbonneries, des fonderies et des entreprises chimiques. Un fondeur perd son poste parce que l'entreprise n'est plus rentable et il s'en va avec sa famille. À sa place, peut-être qu'un jeune chimiste arrivera dans le quartier avec femme et enfants, espérant trouver un appartement et un travail — bien que tant de chômeurs traînent déjà dans les rues et dans les bars, ou fassent en vain la queue devant l'agence pour l'emploi. Oui, dans notre école, il y avait un va-et-vient permanent.

Un jour où Gerold était absent, le Français nous expliqua que le garçon ne viendrait plus jamais, parce que sa famille avait déménagé à Mannheim. Ce matin-là, pendant la récréation, je suis allé pleurer aux cabinets. Gerold et moi étions devenus presque amis. Pourquoi n'était-il pas venu me dire au revoir ? Pourquoi ne m'avait-il pas dit : « Hennes, nous partons ! »

Un beau jour, il ne vint tout simplement plus à l'école. Terminé.

Le Français s'appelle en réalité Franz Hose. À l'époque, il était notre professeur principal. On ne peut vraiment pas prétendre que je me souciais beaucoup des professeurs, mais le Français, lui, je l'aimais bien. Il était de notre côté. Il s'occupait tout particulièrement de ceux qui avaient du mal à apprendre et à comprendre les leçons.

Mais si jamais un élève de la classe était malmené par les autres, si quelqu'un chipait de l'argent de poche, si un garçon se réjouissait qu'un autre ait loupé son contrôle de maths, alors, le Français pouvait se mettre dans une colère terrible. Ça lui arrivait de mugir comme un fou furieux :

— À votre âge, si vous avez déjà perdu le sens de la camaraderie et de la solidarité, vous finirez par vous étriper ! Vous êtes incapables d'apprendre quoi que ce soit ! Ah, vraiment ! Vous me dégoûtez !

Quand le Français nous engueulait ainsi, les murs tremblaient pour de bon.

Il ne pouvait pas non plus supporter nos ricanements, nos sourires moqueurs et nos réflexions stupides quand une nouvelle ou un nouveau arrivait dans la classe. Mais cette habitude-là, il ne réussit pas à nous la faire passer. Moi, je trouve cela fascinant d'avoir soudain quelqu'un là, devant soi, qui veut s'intégrer à votre groupe alors qu'il est encore un étranger total. Je me souviens très bien de l'arrivée de Cordula. Elle en pleurait d'énervement. À vrai dire, ils rougissent tous, sourient d'un air gêné, écarquillent les yeux et ne savent pas quoi faire de leurs mains.

Mais lui, non. Les yeux qu'il avait !

— On dirait un Marocain, chuchota Jens.

— Non, un Gitan, gloussa Susanne.

— Pas du tout ! dit Uwe. Il ressemble à un Peau-Rouge.

Oui, c'était exactement cela ! Un Indien, un Apache, un jeune Winnetou [1] en chemise de velours bleue, en jeans délavés et baskets toutes

---

1. Chef des Apaches, héros de plusieurs romans de l'écrivain allemand Karl May.

trouées. Ses cheveux noirs étaient lisses, on aurait dit un casque huilé. En dessous, des yeux d'Indien, un nez d'Indien, des pommettes d'Indien, une bouche d'Indien. Je crois que ses yeux surtout faisaient très indiens.

Le nouveau nous regarda tranquillement, l'un après l'autre. Je me souviens avoir tressailli sous son regard. Pourquoi ? Je l'ignore.

— Un bébé-cacao ! croassa Till niaisement. Un vrai boy cacao !

Le Français déclara :

— Si tu continues tes idioties, Till, je te fiche dehors, et à coups de pied aux fesses !

Puis, il prit le nouveau par les épaules :

— Il s'appelle Heinrich.

— Heinrich !

Ce fut comme un cri. Tout le monde riait. Heinrich ! Ce n'est pas un nom, voyons ! À la rigueur, c'est bon pour les papis ou les arrière-grands-oncles. « Pourquoi faut-il justement que le nouveau, avec son visage d'Indien, s'appelle Heinrich ? » pensai-je.

— Je mouille mon pantalon ! hurla Uwe d'une voix criarde. Un Indien qui s'appelle Heinrich !

Ensuite, il mit la main à plat devant sa bouche et poussa un hurlement d'Apache très perçant.

— Iiiiiii ! Hein-ri-iich !

Schmackes, avec sa mèche teintée en blond qui lui retombait sur le nez, enchaîna :

— Heinrich, fils du valeureux chef Chaussette Parfumée ! Pitié, je n'en peux plus ! C'est trop beau pour être vrai.

Petra se tapait sur les cuisses comme une folle, Till braillait je ne sais quoi à propos du boy cacao Heinrich, vengeur du Texas, tandis que Meikel, Tom et le grand Pitter, assis au dernier rang, beuglaient en cadence.

— Heinrich, Heinrich est un affreux pois chiche !

Le Français secouait la tête d'un air écœuré.

Visiblement le spectacle laissait le nouveau de marbre. L'espace d'un instant, on put voir ses dents, mais il était impossible de discerner s'il s'agissait d'un sourire moqueur ou furieux. Ses yeux, ses étranges yeux d'Indien, ne cillèrent pas.

Il y a de ces jours où l'on fait n'importe quoi. Impossible de dire si c'est à cause du temps, du programme de télévision de la veille, de l'humidité de l'air, du vent, des émanations toxiques des industries chimiques. Mais il y a des jours comme cela, et c'est un tel jour que Heinrich arriva parmi nous. À vrai dire, un tel prénom n'est pas si rare. S'il s'était appelé Donald Duck ou Nabuchodonosor ou Auguste, j'aurais pu comprendre. Pourtant, c'est en entendant ce prénom que notre classe se mit à délirer.

Personne ne se souciait du patronyme de Heinrich : Swiegocki. Il y a des quantités de noms de ce genre chez nous dans la Ruhr. C'est parce qu'aux débuts de l'industrie lourde, une foule de gens sont venus des pays de l'Est, surtout de Pologne, pour servir de main-d'œuvre, en particulier dans les mines et les fonderies. Je me souviens très bien qu'il y avait une Marlies Tibulski, un Hermann Dargajewski et une Lotti Kaczmarek dans la classe. Swiegocki. Personne ne se moqua de ce nom. C'est seulement le prénom que tout le monde trouvait comique.

Heinrich devint mon voisin de table. Au début du trimestre, nous avions approché les bureaux pour faire des groupes de quatre. Mais peu à peu certaines places s'étaient libérées. Till et Sanne par exemple étaient deux à une table de quatre. Heinrich pouvait donc se mettre où il voulait.

— Où veux-tu t'asseoir ? lui demanda le Français.

Soudain, à ma grande surprise, il se planta devant moi. Il posa son sac de marin et dit :

— Ça te dérange si je me mets là ?

Je sentis que je secouais la tête. Oui, et je sentis aussi à quel point j'étais content. Je ne doutai pas un seul instant que ce fût seulement à cause de moi qu'il voulait s'asseoir avec nous. Le sang afflua à mon visage, les oreilles me brûlaient.

— Non, pas du tout, dis-je enfin.

— Moi non plus, ça ne me dérange pas, pouffa Cordula.

Uwe prit un air protecteur pour annoncer que ça ne le gênait pas non plus ; pourtant il espérait encore que Carsten l'asperge reviendrait dans notre groupe. Carsten s'entraînait au club de boxe du Prusse 08 dans l'espoir de se gonfler les muscles, mais ça ne marchait pas du tout. Il s'était mis à une autre table parce que Uwe lui avait soidisant refilé deux barbets de Sumatra malades, qui avaient infecté les poissons de son aquarium. Naturellement, notre haltérophile avait un surnom depuis longtemps : Schmackes[1].

Heinrich s'assit donc à la place de Schmackes. Il casa son sac de marin sous la table et s'étira. Je remarquai alors que ses mains d'Indien donnaient une impression de force extraordinaire, et qu'il se rongeait les ongles.

Était-ce pure imagination de ma part ou émanait-il vraiment de lui un parfum âcre et singulier ? Je reniflai. Une odeur de sel ! J'en étais pratiquement sûr ! Des images de mer s'étendant à perte de vue et de forêts gigantesques surgirent

---

1. *Mit Schmackes* signifie : avec force, avec élan.

à mon esprit. C'était l'appel des montagnes Rocheuses, des voiles de navires de pirates, du dos fumant des chevaux. Je n'aurais sans doute pas été surpris que Heinrich sorte un tomahawk de son sac au lieu de sa longue règle.

Aujourd'hui encore, j'ignore pourquoi la présence de ce garçon éveilla en moi de tels désirs d'aventure, de fuite et de pays inconnus. Était-ce dû à son côté indien, à sa singularité déroutante ? En réalité, il n'avait jamais voyagé de sa vie. C'est ce que j'appris plus tard, alors que nous étions devenus presque amis.

Le Français se moucha bruyamment.

— Maintenant que vous avez à peu près retrouvé votre calme, nous pouvons peut-être commencer le cours. Qui a eu du mal à faire ses devoirs ?

Petra leva la main. Elle ne comprenait rien à la géométrie. Elle ne réussissait même pas à construire un triangle équilatéral. Elle prit son cahier et alla au tableau d'un pas lourd, en faisant résonner ses grosses bottes de cow-boy. Elle sourit au Français avec un embarras touchant, comme pour dire : « C'est bien sympa d'être aussi patient avec moi, mais ça n'empêche pas que je n'y pige rien. »

Heinrich avait aussi des difficultés en géométrie. Je m'en rendis compte lorsque je le vis ouvrir son classeur et copier ce que Petra essayait de dessiner au tableau.

— Au fait, comment tu t'appelles ? me demanda-t-il.

— Hennes, lui répondis-je. Mon vrai prénom, c'est Johannes. Mais tout le monde m'appelle Hennes. Toi aussi, tu peux m'appeler comme ça.

Heinrich se mit à se ronger les ongles.

— Je n'y comprends rien du tout. Je n'ai jamais fait de géométrie, et tous ces machins-là. Comment je vais me débrouiller ?

Quel merveilleux sentiment ce fut pour moi de prendre tout haut le parti de Heinrich ! D'un ton indigné, je criai au Français qui corrigeait la construction de Petra :

— Hé, plus lentement ! Heinrich ne suit pas !

Heinrich me donna un coup de coude.

— Je suis assez grand pour parler moi-même, non ?

C'était dit sans méchanceté, mais cela sonnait comme une mise en garde pour me prévenir dès le début : « J'ai l'habitude de m'occuper de mes affaires, je n'ai besoin de l'aide de personne. Je n'aime pas qu'on parle à ma place. »

Je ne dis rien, mais ne pus m'empêcher de rougir à nouveau. Était-ce de la honte ? De la gêne ? J'avais voulu bien faire, pourtant !

— Est-ce que vous aviez un autre manuel, dans ton école ? demanda le Français.

— Je n'ai jamais appris à dessiner des triangles et des trucs de ce genre en tout cas, dit Heinrich.

— Alors, viens me voir à la fin de l'heure. Nous en parlerons. Peut-être que Mirjam pourra t'aider un peu. Elle est bonne en mathématiques. Enfin... ou Hennes. Il n'est pas mauvais non plus. Tu ferais ça, Hennes, n'est-ce pas ?

— Bien sûr, bredouillai-je, m'efforçant de cacher ma gêne.

Ce matin-là, je devais une fois encore rougir, un peu plus tard, pendant la grande récréation. De colère cette fois, parce que Göhrke le catcheur s'était approché avec ses minettes. Ou de peur ? Tout le monde prétend qu'on pâlit de peur, mais est-ce bien vrai ?

Nous avons ri comme des idiots parce que Petra ne réussissait pas à tenir correctement le grand triangle en bois. Ensuite, des quantités de cacahuètes s'échappèrent de la trousse d'Uwe. Sur le mur, où étaient punaisés les affiches des Pink Floyd, de Mick Jagger, de Joan Baez, de Batman, de voitures de Formule 1 et de grosses Honda, les rayons du soleil dessinaient des jeux de lumière fous. À l'horizon, les tours de refroidissement lâchaient de gros nuages de vapeur d'un blanc éclatant. C'était une journée d'automne radieuse. De cela, je me souviens très bien.

Il y a des jours et des heures, oui, des instants même, qui s'inscrivent si profondément dans la mémoire qu'on les revoit encore avec une grande netteté des années plus tard. Je suis sûr que je n'oublierai jamais de ma vie cette image de Heinrich se tenant soudain debout devant nous dans la classe. Les yeux qu'il avait !

CHAPITRE II

UN INDIEN NE PLEURE PAS

Nous étions plus de deux mille élèves dans notre établissement et des mouvements de groupes impressionnants avaient lieu pendant les récréations. Malgré cela, Göhrke le catcheur me trouva très vite ce matin-là. J'étais en train de jouer au poker pour des allumettes avec Uwe et Schmackes : la chance me souriait. Quatre fois de suite un full. Ce n'est pas donné à tout le monde ! Mon tas d'allumettes ne cessait d'augmenter. Uwe n'avait plus que quatre bâtonnets.

Heinrich était accroupi à côté de nous, sur le rebord du bac réservé au saut en longueur. Il mâchonnait un sandwich au jambon et nous regardait jouer.

C'est alors que Göhrke le catcheur m'aperçut. Astrid et Hilde se baladaient avec lui : les affreuses minettes, comme nous les appelions. Je crois qu'elles étaient au moins aussi méchantes que les garçons de la mafia de l'école. Elles éprouvaient un réel plaisir à voir Waller, King Charly et les autres de première nous torturer. Bien sûr, Göhrke faisait partie de la bande.

Il m'arracha les cartes des mains :

— Bouh, deux paires minables ! Tu ne peux rien faire avec ça.

D'un geste blasé, il fit tomber les cartes dans le sable et les écrasa de ses bottes jaunes de frimeur. C'étaient des bottes à talon, avec des éperons cliquetants. Il portait aussi toujours des manchettes de cuir aux poignets pour se donner des airs de dangereux cogneur. Mais le lâche ne s'en prenait qu'aux plus jeunes.

Göhrke me regarda en ricanant d'un air méchant :

— Qui c'est qui n'a pas payé son loyer ?

Uwe ramassa les cartes précipitamment.

— Je veux savoir qui n'a pas payé !

Göhrke lissait de ses petits doigts les trois poils qu'il avait sous le nez, censés ressembler à une moustache de gangster.

— Alors ? J'écoute !

Je serrai les dents et sentis une sueur salée me piquer les yeux.

— Tire-toi de là, minable gorille ! m'enten-dis-je murmurer.

Je ne reconnaissais pas le son de ma voix.

— Ouaouh, il est drôlement fortiche aujour-d'hui, Hennes ! railla cette langue de vipère d'Astrid avec sa bouche peinte en violet.

Naturellement, Hilde dut placer son mot :

— Il est presque aussi lourd qu'une grosse merde, aujourd'hui, Hennes !

Entre-temps Uwe et Schmackes s'étaient levés et se tenaient de l'autre côté du bac à sable. Ils criaient, prêts à prendre la fuite :

— Minable gorille ! Minable gorille !

Göhrke m'attrapa le nez. Il commença à le tordre et à l'écraser si fort que j'avais les larmes aux yeux. Je voyais tout flou.

— Je t'ai posé une question ! hurla-t-il.

C'est à de tels moments que je souhaitais ardemment me retrouver dans la peau de Bruce Lee ou de Rocky : je m'imaginais parfaitement en train de soulever Göhrke le catcheur et me servir de lui pour cogner sur les minettes. Mais je n'étais pas Bruce Lee. Ce grave sentiment d'impuissance mêlé de colère me rendait malade. J'avais atroce-ment honte parce que je n'avais aucune chance contre Göhrke, je le savais. Je ne pouvais même pas l'atteindre avec mes poings. Les bras tendus, il me tenait à distance et riait bruyamment.

— Mais c'est qu'il gigote comme Mick Jagger ! brailla Hilde.

— Hé ! Le gigoteur ! Je t'ai demandé quelque chose !

Rapide comme l'éclair, Göhrke me flanqua le talon de sa botte dans les mollets, me donnant un coup qui me renversa violemment sur le dos dans le bac à sable.

C'est à ce moment-là que Heinrich l'Apache déterra la hache de guerre.

J'entendis le cri de surprise de mon agresseur. Après m'être débarrassé du sable sale qui collait à mes cheveux et à mon visage, j'ouvris les yeux et vis Heinrich juché sur les épaules du catcheur. Il se cramponnait comme un singe et frappait Göhrke à coups de poing sur le crâne. Je vis Göhrke chanceler, puis tomber en emportant Heinrich dans sa chute.

Des curieux accouraient de toutes parts. Ah ! Les bagarres ! Ces petites sensations dans le quotidien de l'école… Après coup, on a des choses à raconter. On peut surtout en profiter pour hurler sa frustration.

Cette meute de gens qui nous regardaient d'un air ébahi me donnait la nausée. Je ne sentais plus mon nez et j'étais terrorisé.

— Heinrich ! criai-je. Sauve-toi ! Vite !

Mais Göhrke le catcheur avait sans doute repéré avant nous le visage furieux de Bierbaum dans la foule. Celui-ci enseignait le sport et le latin, et s'occupait du club de judo. Nous savions tous qu'on ne plaisantait pas avec lui. Göhrke s'éclipsa vite. Heinrich restait là, reprenant son souffle.

Je l'attrapai par le bras :

— Viens, dépêche-toi !

— Mais…

— Mince, Heinrich, viens, je te dis !

Quelques copains de notre classe avaient compris. Till, Cordula, Uwe entourèrent Heinrich, le poussèrent et disparurent avec lui dans la cohue des élèves, tandis que je me baissais et me glissais de l'autre côté. Quand Bierbaum parvint enfin au bac à sable, tout était rentré dans l'ordre. De plus, la cloche sonna la troisième heure de cours.

J'aperçus la tête blonde frisée de Hilde au milieu des autres et prêtai un serment solennel. Je jurai de me venger cruellement de ses ricanements insupportables. Oui, je chuchotai pour moi-même : « Que je perde mon honneur et ne trouve jamais le repos dans la tombe si je ne lui fais pas payer cela au quintuple ! Au centuple même ! »

Puis je me glissai bon dernier dans la classe. J'arrivai même après le prof. Reuben, qui enseignait la géographie, portait des lunettes à double foyer. Je vis s'inscrire sur le visage de Heinrich la question que j'attendais : « Pourquoi vous laissez-vous faire ? » Je m'assis rapidement, fouillai dans la poche de ma chemise et fis glisser toutes mes réserves de chewing-gum devant lui. Il me jeta un coup d'œil surpris, hocha la tête et les empocha. À ce moment-là non plus, il ne laissa pas paraître la moindre émotion sur son visage.

Non, bien sûr, Heinrich ne pouvait pas comprendre. Il ne savait encore rien de la mafia. Il ne pouvait pas connaître Waller, le King et les autres cogneurs de première C qui faisaient du chantage et jouaient aux bandits de grand chemin. Ils encaissaient un droit de passage à la sortie du tunnel que les élèves de notre quartier empruntaient chaque jour. Ils appelaient ce jeu violent « prélever le loyer ».

Naturellement, ils ne s'attaquaient qu'aux filles et aux garçons plus jeunes qu'eux, en les intimidant de manière impitoyable. « Celui qui paie son loyer à temps est assuré de notre protection personnelle ! » Voilà comment ils présentaient la chose. Ils établissaient des listes, constituaient même des fichiers. Les affreuses minettes jouaient pour eux le rôle de comptables. Chaque « client » trois marks par mois, et des indemnités de retard si on ne payait pas à temps. Sur ce point, ils étaient implacables. Göhrke le catcheur se chargeait de rappeler à l'ordre les retardataires et d'encaisser l'argent. Il aimait exhiber ses muscles, et répétait sans arrêt son stupide refrain :

— Qu'est-ce que vous voulez, les petits calibres ? Trois marks pour assurer votre sécurité personnelle, vous trouvez ça exorbitant ? Impossible de faire moins cher. Allez vous renseigner à Chicago !

Bien entendu, nous avions essayé de nous défendre. Les parents de Veronika avaient appelé le proviseur, qui avait ensuite convoqué King Charly et Waller. Mais les deux hypocrites avaient simulé l'ébahissement total : ce n'était qu'une mauvaise blague pour leur faire du tort ! Ils dégoisèrent leurs mensonges et le directeur tomba dans le panneau. Cependant, seul un idiot aurait pu prendre pour un hasard l'accident dont fut victime Veronika le lendemain. Elle fit une très mauvaise chute parce que la fourche de son vélo avait été sciée.

Hélas, on n'avait rien pu prouver contre les mafiosi de première C. Ralf, un élève de cinquième, avait refusé de payer. Deux jours plus tard, son blouson neuf en cuir flottait dans le bac à mortier des maçons qui posaient des briques isolantes à l'intérieur du gymnase. Felix avait du retard dans ses paiements. Son teckel s'était retrouvé avec la queue rasée. Deux filles avaient rapporté les menaces de Göhrke à leur professeur principal, qui avait alors écrit aux parents du catcheur. Seulement voilà : les deux cartables des filles disparurent lors d'une récréation et on ne les revit plus jamais. Till, qui vivait chez ses grands-parents, avait parlé du chantage à son grand-père. Celui-ci avait estimé que de pareils méfaits étaient du ressort de la police. Mais Till l'avait supplié de ne rien entreprendre parce qu'il avait peur pour son petit chat siamois, qui passait son temps assis sur le muret de leur jardin et se laissait attraper par des inconnus.

Les gens de la mafia visaient particulièrement les enfants des familles étrangères et leur faisaient la chasse. Les jumeaux turcs Ismail et Orhun, des élèves de sixième, ne recevaient jamais d'argent de poche. Un jour, ils se retrouvèrent avec leurs blousons Donald Duck en lambeaux. Leur professeur principal, une femme, voulut savoir qui avait fait ça. Mais les deux garçons, terrorisés, n'osèrent pas donner les noms de leurs agresseurs. Ils déclarèrent qu'ils n'avaient aucune idée de la façon dont cela avait pu se passer. Bogdan, le frêle Roumain, voulut défendre sa sœur alors que deux filles de la mafia s'apprêtaient à lui prendre sa montre. Mais un garçon plus grand, dont il ne connaissait soi-disant pas le nom, le frappa si violemment au visage que Bogdan dut consulter un médecin.

Bien sûr, on peut nous reprocher de nous être comportés en misérables couards. Mais comment ne pas trembler ? Les lunettes d'Elke avaient été piétinées, un garçon de quatrième s'était fait renverser par une mobylette ! Et l'anorak de la sœur d'Hörstken, taché de goudron… Et les foulards d'Ülküs et de Jasmin, dérobés d'un coup ! Nous avions peur, je l'avoue, nous avions tous peur.

Et voilà que j'avais du retard pour mon loyer, parce que je m'étais acheté une perruche et que j'avais dû négocier avec mes parents une avance sur mon argent de poche. J'étais complètement à sec. À présent, Heinrich s'en était mêlé. Il ne se doutait pas des risques qu'il prenait ! Mon estomac se contracta, j'avais envie de vomir, je me sentais affreusement mal. Quelle importance que mon nez me fît à ce point souffrir ! Non, ce qui m'achevait, c'était que Heinrich se soit battu pour moi. Maintenant, il se trouvait à coup sûr sur la liste de Göhrke, qui voudrait se venger brutalement de cet affront.

Que faire ? Fallait-il tout raconter à Heinrich sur la mafia ? Le mettre en garde ? Je regardai Schmackes et Uwe, mais mes amis ne semblèrent pas s'en apercevoir. Ils fixaient obstinément leurs mains. La mauvaise conscience ! Je devinais ce qu'ils ressentaient.

La géographie faisait à l'évidence partie de mes matières préférées. Mais ce que Reuben pouvait nous raconter ce jour-là sur la forêt brésilienne ne m'intéressait pas. Sans aucun doute, si j'avais été dans un jour ordinaire, j'aurais été transporté par son récit sur les Indiens en voie de disparition, qui pratiquent la pêche au javelot debout dans les fleuves. Je me serais indigné contre les affairistes sans scrupules qui tracent arbitrairement des routes dans la forêt vierge. D'un ton irrité, j'aurais pris parti contre les incendiaires des forêts, contre les criminels responsables du déséquilibre écologique de l'Amérique du Sud, contre les destructeurs du climat mondial. Mais ce jour-là, quand Reuben me demanda quels étaient les pays frontaliers du Brésil, je le fixai bêtement d'un œil hagard, sans rien dire, comme un demeuré. Avais-je seulement entendu ?

— Alors ?

Reuben répéta sa question.

— Quels sont les pays frontaliers du Brésil ?

— Cuba ! me souffla Manni Küpper.

Et moi, veau stupide que j'étais, je répétai sa bêtise.

— Cuba et…

Les autres se mirent à glousser. Seul Heinrich ne riait pas. Il écrivit très vite quelque chose sur un bout de papier, qu'il me tendit discrètement.

Ils faisaient tous les idiots. Des noms fusaient :

— La Chine !

— Le mur de Berlin !

— Le Danube !

— Alaska !

— L'Afrique du Sud !

— Les Baléares !

— Qu'est-ce que tu attends, Hennes ? me demanda Reuben quand le calme fut revenu.

Ouvrant son carnet de notes, il m'exhorta une dernière fois à nommer les pays qui avaient une frontière commune avec le Brésil.

— Tu le sais ou pas ?

Je lorgnai sur le papier de Heinrich et lus à voix haute ce qu'il avait griffonné :

— La Guinée française, hollandaise, britannique, le Venezuela, la Colombie, le Pérou, la Bolivie, le Paraguay, l'Uruguay et un petit bout de l'Argentine.

— Parfait !

Reuben semblait stupéfait.

— Absolument parfait ! répéta-t-il en inscrivant une note.

Je ressentis pour la première fois ce jour-là l'intérêt de Heinrich pour les pays lointains.

— Dis donc, chuchotai-je. Tu es un sacré crack en géo !

— En échange tu m'aideras en maths, me répondit-il sèchement, sans bouger un pli de son visage d'Indien.

— Logique, approuvai-je.

Entre-temps, Reuben était passé à l'humidité de l'air dans le Mato Grosso et distribuait des photocopies de cartes. Uwe confectionnait des boules de papier pour son lance-pierres. Moi, je me triturais les méninges pour trouver un moyen de protéger Heinrich de la vengeance du catcheur. Mon nez enflait de plus en plus. Sanne dessinait des petits cœurs verts dans son cahier.

Pendant la pause qui précédait la dernière heure de cours, une idée valable fit enfin irruption dans mon crâne un peu fêlé. Je descendis à toute allure dans le hall pour téléphoner. Petra me prêta des pièces. Mon père venait d'arriver à la maison. À l'époque, il travaillait comme représentant de commerce en objets-souvenirs. Quand il avait le temps, il rentrait à midi pour s'occuper du repas. Ma mère, caissière dans un grand magasin, ne pouvait pas le faire, sa pause-déjeuner étant trop courte.

— Est-ce que tu pourrais venir me chercher à l'école ? soufflai-je d'une voix pitoyable.

— Pourquoi ça ? Tu es trop feignant pour marcher ? s'enquit mon père.

Je remarquai qu'il était de mauvaise humeur. Sans doute avait-il enregistré de mauvais résultats dans la matinée.

Je répondis plaintivement :

— Je ne sais pas ce qui m'arrive, j'ai très mal au ventre. Comme si j'avais mangé quelque chose de mauvais. Je ne me sens vraiment pas bien. J'ai les jambes toutes molles et...

Mon père m'interrompit d'un ton méfiant :

— Vous avez eu un contrôle ?

— Non, mais...

— D'accord. Je viens te chercher. Tu sors à quelle heure ?

— On termine à une heure cinq. Tu peux monter jusqu'à la cour. Les profs le font.

Je donnai cette précision parce qu'il était important que mon père s'approche le plus possible de la sortie. Göhrke ne s'attaquerait sûrement pas à nous une seconde fois dans l'enceinte de l'école.

— Tu vas vraiment si mal que ça, Hennes ?

Mon père semblait très préoccupé.

— Oh, ça ira.

Je raccrochai.

Quand je demandai à Heinrich où il habitait, il me répondit de façon si évasive que je ne compris pas la moitié de ce qu'il me disait.

Je répétai ma question :

— Dis-moi où tu habites exactement, d'accord ?

Heinrich se mit un chewing-gum dans la bouche et m'indiqua une direction approximative :

— Par là. Derrière les voies et puis à gauche.

— Écoute ! Mon père vient me chercher, dis-je. Il le fait de temps en temps. Alors on t'amène et on te dépose chez toi. D'accord ?

Je ne compris pas pourquoi Heinrich refusa. C'était quand même incroyable ! Qui n'aime pas se faire raccompagner en voiture après six heures de cours plutôt barbants ? Mais Heinrich ne voulait pas. Il n'était pas pressé. De toute façon, on ne mangeait pas avant deux heures chez lui, parce qu'il fallait attendre sa sœur.

J'essayai de le convaincre. Je le suppliai de venir avec nous parce que Göhrke le catcheur l'attendrait sûrement à la sortie ; mais Heinrich était têtu comme une bourrique. Il insistait pour rentrer seul chez lui.

— Si tu crois que ce clodo me fiche la trouille ! dit-il en riant.

Puis il prit son sac de marin et quitta tranquillement la cour — droit comme le chef Sitting Bull dans le soleil couchant.

Je n'arrivais pas à comprendre. Que voulait-il me prouver ? Ce mercredi-là, je ne m'inquiétais pas encore de son silence à propos de son adresse. Je ne pensais qu'à une chose : il habitait de l'autre côté des voies et devait passer par le tunnel. J'avais envie de hurler.

Mon père arriva assez tard. Je crois qu'il préférait laisser partir les professeurs, dans leurs belles voitures bien propres, avant d'avancer sa vieille Golf Diesel rouillée. Comme pour protester, il appuya un peu trop fort sur l'accélérateur et me demanda si mon ventre allait mieux. Mais sans écouter ma réponse, il s'engagea dans la circulation, très dense à cette heure de l'après-midi, en direction de la maison.

Je me souviens très bien comme j'étais fébrile. Il fallait absolument rattraper Heinrich avant qu'il n'arrive au souterrain ! Je vis les autres : Felix, Sonja, Cordula, Till, Achmed, Nobby. Où était passé Heinrich ?

Puis nous avons tourné dans la rue latérale et longé les jardins ouvriers. Soudain je l'aperçus. Des rangées de haricots, des nains de jardin, des pommiers, des asters en fleurs… Puis Heinrich.

Agenouillé contre un grillage, il essayait de se protéger la tête avec ses bras. Devant lui se tenaient
Göhrke et Waller. Apparemment, ils se relayaient
pour le frapper. Les affreuses minettes assistaient
à la scène, debout au bord de la route.

— Arrête-toi ! criai-je.

Mes mains tremblaient.

— Heinrich ! C'est Heinrich ! Il est dans ma
classe, et ces salauds, ces…

Je bafouillai sans réussir à avaler ma salive
tant j'étais choqué. Je ne trouvais pas mes mots,
mais mon père, lui, avait compris. Il pila si brus-
quement que, sans ma ceinture de sécurité, je
serais passé à travers le pare-brise. Il sauta hors de
la voiture bien plus vite que moi. J'étais comme
paralysé. Je vis Hilde et Astrid se sauver, puis
j'entendis le signal de Waller. Göhrke se retourna.
Effrayé, il fixa mon père pendant une fraction de
seconde, puis sauta par-dessus la clôture et se
précipita avec Waller dans l'enchevêtrement des
maïs.

Mon père ne pouvait pas courir vite. Il avait
le souffle court à cause de son asthme. Quand il
arriva près de Heinrich, les agresseurs s'étaient
envolés depuis longtemps.

L'Indien était méchamment arrangé. Il se
tenait le ventre à deux mains. Ses pommettes
étaient enflées de manière inquiétante. Un filet de

sang coulait de sa narine droite. Mais je remarquai surtout une chose : Heinrich ne pleurait pas.

— Mon Dieu, gémit mon père, ce n'est pas croyable ! Dans quel monde vivons-nous ?

Il souleva la tête de Heinrich et essuya d'un geste avec un mouchoir en papier le sang qui coulait sur sa joue.

— Mais qu'est-ce que ces canailles t'ont fait !

Une femme cria depuis sa fenêtre :

— J'ai tout vu ! Vous voulez que j'appelle la police ?

— Et vite !

Mon père tremblait de colère.

Pantelant, Heinrich se mit sur les genoux. Il passa la langue sur ses lèvres éclatées et dit avec un sourire de travers :

— Ça ira.

Mais ça n'allait pas du tout !

Heinrich était salement amoché. D'un seul coup, la fureur l'emporta sur ma peur de King Charly et de son gang. C'en était trop. D'ailleurs n'avais-je pas une dette à l'égard de Heinrich ? J'étais farouchement décidé à raconter à la police tout ce que je savais sur Göhrke et les autres bandits de grand chemin.

Une foule de gens nous entourait à présent : il y avait surtout des élèves, mais aussi des femmes au foyer, des retraités, des gens qui travaillaient dans leur jardin — tous ceux qui, dans ce quartier, étaient susceptibles de se trouver dans la rue à l'heure du déjeuner.

Les cris outrés et les invectives fusèrent, puis une question inquiète : ne valait-il pas mieux conduire le garçon blessé chez le médecin ? Enfin, deux jeunes policiers descendirent de leur Passat vert et blanc.

Mais Heinrich avait disparu.

C'était tout de même incroyable qu'un être humain se volatilise comme cela ! Indien ou Visage pâle, on ne peut pas s'éclipser ainsi ! Pourtant Heinrich avait bel et bien disparu. Avec la souplesse d'un chat, il avait dû profiter de la confusion générale pour s'échapper. Mais pourquoi ?

Les gens parlaient tous en même temps aux policiers. Ils montraient les haies des jardinets, au-delà du petit champ de maïs, s'interpellaient mutuellement, se demandant ce qu'il fallait faire « avec ces voyous »…

C'est alors que je découvris dans l'herbe le sac de marin de Heinrich.

CHAPITRE III

SOLIDAIRES
COMME LES DOIGTS DE LA MAIN

Des galettes au lard avec des épinards. À cette époque, je pouvais en engloutir une bonne douzaine à l'affilée, mais ce midi-là, impossible d'avaler quoi que ce soit. Encore soucieux, mon père s'essuya les mains sur son tablier à fleurs et me tâta le front. Ma petite sœur Bettina courut aussitôt à la salle de bains pour aller chercher le thermomètre. Elle aimait jouer à l'infirmière.

Gerda, ma sœur aînée, avec laquelle je me trouvais généralement un peu sur le pied de guerre à cause de son goût fanatique pour l'ordre, se contenta de froncer les sourcils comme pour dire : « On parie que Hennes n'a pas encore digéré une interro d'anglais ? »

Et pourtant, j'étais vraiment malade !

N'est-ce pas une maladie quand la rage et la révolte vous donnent des brûlures d'estomac ? N'est-ce pas une maladie quand un garçon de mon âge ressent son impuissance face à une brute de première, sans pouvoir accepter une telle injustice ? N'est-ce pas une maladie quand le visage ensanglanté d'un ami ne cesse de vous hanter au point d'engendrer un terrible sentiment de culpabilité ? Sur les cahiers d'Heinrich, je n'avais trouvé que son nom — pas d'adresse.

Oui, j'étais malade ! Je m'apparaissais comme une vraie loque et en repensant à la question de Göhrke à propos de mon loyer, je faillis me mettre à vomir.

— En tout cas, il n'a pas de température, dit mon père.

— Dommage ! regretta Bettina en repartant avec son thermomètre.

Elle a toujours été une vraie sœur pour moi !

Mon père était encore très énervé par la discussion avec les policiers. Ils n'avaient pas pris cette histoire assez au sérieux. « Que voulez-vous, des bagarres entre élèves, ce sont des choses qui arrivent ! Ce n'est pas une raison pour appeler la police. Comment voulez-vous qu'on s'en sorte si on fait venir la patrouille pour chaque broutille de ce genre ! Dresser un procès-verbal ? À quoi bon ? Et d'ailleurs, où est le plaignant ? »

Le plaignant ! Quel terme absurde !

Mon père avait interrompu les reproches des deux policiers par une question acide :

— Vous auriez préféré un bel accident de voiture, si je comprends bien ?

Cette réflexion les avait mis en colère pour de bon.

Mon père repoussa son assiette et vida son verre de bière :

— Qu'est-ce qui lui a pris, à cet idiot, de s'enfuir ! Ça ne tourne pas rond chez lui. C'est comment, son nom, déjà ?

— Heinrich, répondis-je, Heinrich Swiegocki. Mais je ne sais pas où il habite. C'est un nouveau. Il est arrivé aujourd'hui.

— Heinrich ! pouffa Gerda. Ouah !

Elle aussi, alors !

— C'est un beau prénom, Heinrich ! criai-je. Dix fois mieux que Gerda. Quand on s'appelle Gerda, on a forcément des poux !

— On ne peut même plus être tranquille à table ?

Mon père posa si violemment ses couverts qu'il fit trembler les assiettes en porcelaine.

— Ça ne doit pas aller si mal, Hennes. Quelqu'un d'aussi impertinent ne peut pas être malade.

Ces éternelles remarques ! Pourquoi ne pourrait-on pas être malade et impertinent à la fois ?

Et d'ailleurs qui avait commencé ? Qui s'était moqué du prénom de Heinrich ? Alors !

Mon père, dont c'était le tour de débarrasser la table, se défila une fois de plus, prétextant des rendez-vous urgents. Gerda avait soi-disant plein de devoirs à faire. Bettina s'enferma dans les toilettes.

— Je vais débarrasser, dis-je.

Cette proposition si généreuse et inhabituelle les convainquit sans doute que j'étais bel et bien malade. J'étais content d'avoir quelque chose à faire, de devoir bouger un peu ; cela m'évitait de rester assis là, plongé dans mes pensées. Si seulement j'avais pu confier à quelqu'un mes craintes à propos de Heinrich et de la mafia ! Je rangeai la vaisselle dans la machine, essuyai la table et enveloppai les restes dans de l'aluminium avant de les mettre au réfrigérateur.

J'entendis le diesel de mon père démarrer poussivement. Le magnétophone de Gerda jouait du rock fadasse sans intérêt. Là-dessus, le bruit de la chasse d'eau. Ce raffut ne fit qu'aggraver mon état.

Triste à mourir, je me glissai dans ma chambre — un vrai placard à balais ! Je me jetai sur mon lit et me mis à réfléchir. Préférais-je émigrer en Australie, au Canada ou, au moins, pour la prairie de Kirchhellen ? Le perroquet sifflotait doucement : « Gentil Titus ! Gentil Titus. » Mais il s'arrêta vite parce que je ne lui répondais pas. Si seulement la maison avait pu décoller de terre comme la fusée Ariane et m'envoyer sur la lune !

La voix de Gerda interrompit le cours de mes sombres pensées : « Hennes, téléphone ! »

C'était Schmackes, l'asperge. Je m'étais bien douté que sa mauvaise conscience devait le tenailler ! Je le laissai d'abord mijoter un peu avant de lui demander d'une voix ennuyée ce qu'il me voulait. Oui, qu'il se rende un peu compte que j'étais furieux contre lui !

— Quoi de neuf, Hennes ? me demanda-t-il.

— Sûrement pas mon nez. Le médecin a dit qu'il fallait l'enlever. Il l'a quand même plâtré, mais sans me laisser beaucoup d'espoir. Voilà, tu es au courant, maintenant !

La voix de Schmackes prit un ton geignard pitoyable.

— Écoute, Hennes, qu'est-ce que tu voulais qu'on fasse, Uwe et moi ? Tout est allé tellement vite. Si on avait compris que cette pourriture de Göhrke allait t'écraser le nez, on lui serait rentré dedans. Tu aurais vu ça !

— Et comment ? En prenant ton élan, c'est ça ? répliquai-je d'un ton glacial.

— C'est bon, Hennes, arrête ! Qu… Qu'est-ce que tu voulais qu'on fasse ? Je veux dire…

— Ce que Heinrich a fait, par exemple.

Je m'efforçai de prendre une voix moqueuse.

— Lui, au moins, il est courageux. Plus que vous tous réunis !

J'avais visé juste, j'en eus la preuve immédiate. Schmackes cria si fort dans le téléphone que je dus éloigner l'écouteur de mon oreille :

— C'est de la frime, Hennes, c'est tout ! Comme il est nouveau…

Je lui coupai brutalement la parole.

— Bien sûr, il voulait juste frimer. C'est pour frimer qu'il s'est fait casser la figure par Waller et Göhrke, près des jardins ouvriers. Franchement, Schmackes, tu dis parfois de ces conneries ! D'abord tu es trop lâche pour m'aider et après tu racontes n'importe quoi. À part ça, que puis-je pour toi ?

Je l'imaginais très bien en train de suer à grosses gouttes et je crois qu'il commençait même à me faire de la peine. Après tout, nous étions amis et il m'avait laissé tomber. Cela le torturait, à présent. Et que ce soit justement le nouveau, un garçon qu'on ne connaissait pas du tout, qui me soit venu en aide… Cela ne pouvait qu'aggraver la situation. « En fait, Schmackes a toujours été un bon copain », pensai-je.

Il haletait comme s'il manquait d'air.

— Sincèrement, Hennes, comment tu vas ? souffla-t-il.

— Merdique.

— C'est vraiment si grave, ton nez ?

— Mon nez ! Mon nez ! Arrête avec mon nez ! Tu ne piges donc pas, Schmackes ? Ce qui est grave, c'est qu'ils ont passé Heinrich au rouleau compresseur. Mais tu crois qu'il aurait pleuré ? Sûrement pas ! C'est un Apache, un vrai ! Un cœur d'Indien ne connaît pas la douleur. La police est venue aussi, d'ailleurs. Mais Heinrich s'était déjà éclipsé. Pouf ! Volatilisé !

— Je ne comprends pas !

— Moi non plus. Je ne comprends plus rien. Sauf une chose : je sais parfaitement que Göhrke et sa bande vont se venger de Heinrich et de moi. Mais je ne pense pas que ça t'intéresse.

— Arrête, imbécile ! lâcha Schmackes. Raconte-moi plutôt ce qui s'est passé. En plus…

— En plus, le coupai-je, je ferais mieux de raccrocher. Ce n'est pas la parlote qui va y changer quelque chose. Mais au cas où tu t'en sentirais le courage, tu peux participer à mon plan. Enfin, si tu t'en sens capable, bien sûr. Penses-y. À trois heures dans la grotte !

— Un plan ? Quel plan ?

— À trois heures dans la grotte ! criai-je avant de raccrocher.

La grotte. Notre grotte !

Très peu d'initiés savaient qu'au cœur de notre ville, il y avait une grotte cachée. Schmackes et Uwe la connaissaient — et moi bien sûr, puisque je l'avais découverte. Sanne et Cordula y étaient venues une fois, mais nous leur avions bandé les yeux, à l'aller comme au retour. Non pas que nous ayons quelque chose contre les deux filles. Mais nous avions juré de ne pas lever le mystère, de ne jamais montrer le chemin à quiconque. Quelques élèves de notre classe se doutaient qu'on avait un secret. Mais ils avaient beau nous supplier, essayer de nous flatter ou de deviner : nous le gardions jalousement. Jörg essaya même de nous acheter pour dix marks. Mais des clous ! Les jumeaux Küpper tentèrent une autre tactique. Ils prétendirent que l'histoire de la grotte, c'était du baratin, de la frime, que sinon nous pourrions prouver son existence.

Naturellement, nous n'étions pas du genre à tomber dans un piège aussi gros !

Nous avons fait une exception avec les deux filles parce qu'Uwe se portait garant pour elles. Il était amoureux fou de Cordula, et Cordula n'entreprenait jamais rien sans sa meilleure copine Sanne.

J'avais trouvé la grotte tout à fait par hasard. En dégringolant la montagne sur les fesses, je faillis faire la culbute. En fait, il serait faux de dire que j'avais trouvé la grotte. C'est l'inverse qui se produisit : la grotte m'a trouvé. Cette étrange colline au milieu de la ville avait été artificiellement dressée avec le mâchefer et les déblais provenant de la mine Amalie. Elle était pour moi l'Himalaya et le mont Ararat, le Kilimandjaro et le Matterhorn. La montagne magique. Une colline dans la prairie et une pyramide aztèque. J'y étais à la fois le dernier des Mohicans, Tarzan et Marco Polo réunis. C'est là que je regardais en rougissant des photos de femmes à moitié nues ; c'est là que je venais pleurer tout mon saoul quand il y avait des disputes à la maison ; c'est là que je faisais mes rêves de traversée du désert et de voyage au pays des chevaux sauvages ; c'est là que je fixais le soleil pendant des heures et que, devenu astronaute, je traversais à toute allure la nébuleuse spirale de la Voie lactée.

La mine était fermée depuis longtemps, mais la montagne vivait toujours. Des bouleaux et des genêts poussaient dans la cendre. Des fumées de soufre s'échappaient des crevasses de la pierre oxydée. On entendait quelquefois un gémissement dans les profondeurs de la montagne, comme si les éboulis voulaient retourner dans les puits et les galeries desquelles les mineurs les avaient extraits à l'aide de fraiseuses et de marteaux-piqueurs.

Fuyant devant des bédouins anthropophages, je descendais au galop la pente abrupte sur mon cheval magique Rih. C'est du moins ce que je m'imaginais, car le jour où j'ai découvert la grotte, la véritable raison de ma fuite me semblait sans importance. J'avais donné l'ordre au cheval de s'envoler. Aussitôt, j'avais dévalé la pente tête la première, m'écorchant les joues sur le mâchefer, rattrapé par des éboulis de pierres — et pendant une fraction de seconde j'étais resté suspendu dans l'air. J'ouvris grand la bouche pour crier, mais aucun son n'en sortit. Le puits étroit avait seulement deux mètres de profondeur, et cependant je m'écrasai si violemment sur le sol caillouteux que j'entendis mes mâchoires claquer l'une contre l'autre. Je me secouai pour reprendre mes esprits. C'est alors seulement que je réalisai que je me trouvais dans une grotte.

Il faisait sombre, il faisait chaud. C'était magnifique : une grotte dans le ventre de la montagne. Curieusement je n'avais pas peur, bien que je me sois dit : « Tu n'en sortiras jamais, Hennes. Tu peux crier autant que tu veux, personne ne t'entendra. La montagne t'a avalé, tu n'en sortiras jamais. C'est la fin. *So long*, toi le plus téméraire des Visages pâles ! »

En fait, je réussis à ramper à travers le tunnel incliné pour sortir. Je dissimulai l'entrée du passage sous un lit de ronces et d'orties afin que personne ne découvre ma grotte secrète, à mi-pente de la montagne. La cache était à peu près aussi grande qu'une fourgonnette Volkswagen. Selon toute apparence, le mâchefer, subitement refroidi par l'eau, s'était congloméré et avait constitué des murs compacts. Quelle cachette ! Mes amis n'en croiraient pas leurs yeux.

À l'époque, cette découverte m'avait littéralement ensorcelé. Je restai encore un long moment assis dans le soleil couchant, à regarder un lézard gonfler le cou en savourant la chaleur de la pierre. Je fus tiré de ma rêverie par la sirène d'une des locomotives de la fonderie qui retentit. Il était presque neuf heures ! Ma mère, énervée et épuisée par sa journée de travail, se fâcha parce qu'elle s'était fait du souci. Le cœur léger, je lui promis d'arriver dorénavant à l'heure pour le dîner.

Dès le lendemain, je racontai tout à Uwe et Schmackes. Lorsque je leur montrai la grotte, après l'école, ils restèrent d'abord bouche bée. Puis, avec notre sang, nous fîmes le serment de n'en parler à personne. Nous étions désormais les invincibles hommes des cavernes au cœur de la montagne. Ah, quand je me rappelle cette époque : quelle grotte a connu comme celle-ci la joie, la tristesse, la peur devant les bulletins de notes et les rêves communs de grandes aventures !

Le jour de l'arrivée de Heinrich, je montai juste avant trois heures en haut de la montagne en empruntant l'habituel détour par les voies abandonnées de la mine. La tête et les épaules camouflées par des fougères, je m'assurai que personne ne m'observait, et me mis à quatre pattes pour atteindre l'entrée de mon repère. La montagne, la grotte et l'odeur des buissons me donnaient du courage. La frayeur que je venais de vivre s'était transformée en une légère inquiétude.

Je sifflai alors doucement : court-court-court-long. La réponse me parvint, atténuée : long-long-long-court. Schmackes était donc déjà là. Il poussa de l'intérieur la dalle, autour de laquelle nous avions collé des bouts de mousse. Les jambes en avant, je me glissai dans l'ouverture et refermai la trappe derrière moi. Une fois mes yeux habitués à la pâle lueur de la bougie, je vis que Schmackes n'était pas venu seul. Uwe était accroupi à côté de lui, sur le matelas en mousse. Il tétait une petite branche de lierre, tout en sachant pertinemment que nos cigarettes en bois lui donnaient toujours mal au cœur.

Je me versai du jus de citron dans un gobelet en métal et bus. Le jus avait un goût de croupi, mais je le bus sans la moindre grimace. Puis je m'assis et j'attendis. C'est connu, les grands chefs prennent leur temps avant d'ouvrir les palabres.

Uwe parla le premier :

— Écoute, Hennes, on ne t'a pas aidé quand le catcheur t'a bousillé le nez, parce que…. C'est allé tellement vite. Je ne m'attendais pas à ce qu'il…

— Heinrich, lui, il n'a pas eu besoin d'une invitation pour réagir !

— Arrête, Hennes ! intervint Schmackes. N'insiste pas. Tu vois bien qu'on est désolé. Parle-nous plutôt de ton plan.

J'acquiesçai :

— Seulement, il faut un minimum de courage. Alors, dites-le tout de suite si vous avez les chocottes.

— Passe-moi le sang ! demanda Schmackes.

Uwe fouilla dans la boîte à trésor cachée dans un coin sombre. Il en sortit un bocal qu'il posa à côté de la bougie. C'était un vieux verre à confiture que nous avions utilisé pour recevoir nos gouttes de sang, au moment du grand serment. On voyait très bien la croûte brune séchée au fond du verre. Schmackes cracha un peu sur le vieux sang, le mélangea avec l'index et nous traça un point sur le front du bout du doigt.

— Des frères de sang ne se laissent pas tomber ! prononça-t-il d'une voix solennelle. Parle maintenant, Hennes !

— C'est ça, répéta Uwe. Parle !

Alors je parlai. Je dis que j'en avais ma claque d'être brimé par les types répugnants de la mafia, que je ne payerais plus le moindre pfennig à ces maîtres chanteurs, qu'il fallait en finir avec ces gangsters sournois et leurs affreuses minettes.

— La coupe est pleine ! m'écriai-je beaucoup trop fort. Maintenant c'est à nous d'attaquer.

— Quoi ?

Uwe ne voyait pas encore où je voulais en venir.

— Nous avons besoin d'une stratégie, lui expliquai-je. Vous ne passez pas tous les jours par le tunnel, vous. Vous n'avez aucune idée de l'humiliation que c'est de se faire attraper et dépouiller par ces sales brutes à la sortie. Notre erreur dans le quartier, c'est d'être toujours passés seuls dans le souterrain pour aller à l'école. On leur a sacrément facilité la tâche, à ces bandits ! Ce qu'on a pu être bêtes ! Il faut en finir ou on n'a aucune chance contre Göhrke, Waller et le King. Personne ne doit plus y aller seul, vous pigez ? Et vous, vous allez venir à notre rencontre. Vous allez venir nous chercher. Solidarité !

— Solidarité ! cria Schmackes.

Uwe avait toujours trois heures de retard. Il nous regarda tour à tour, Schmackes et moi, d'un air interrogateur, avant de dire :

— Vous croyez que ça peut marcher ?

Schmackes fit jouer ses muscles, comme on dit, car en fait, chez lui, il n'y avait pas grand-chose à faire bouger.

— Ce n'est pas dur à comprendre, Uwe ! Tu connais la vieille formule : « Un pour tous, tous pour un ! » Nous devons être solidaires comme les doigts de la main.

— Lâche-moi un peu avec tes formules ! grogna Uwe.

— Mais c'est comme ça qu'il faut faire ! hurlai-je.

Je sentais la colère m'envahir. Nous étions là à perdre du temps, alors qu'il y avait tant à entreprendre !

— Hennes a raison, trancha Schmackes. Plus personne ne doit passer seul dans le souterrain. Ceux qui n'habitent pas derrière les voies viendront à la rencontre des autres. Après l'école, on fera pareil. Et en criant comme dans une manif ! Des vrais cris de guerre, oui, bras dessus bras dessous. J'ai hâte de voir la tête de Göhrke et de ses minettes.

Puis je leur expliquai mon plan. Uwe et Schmackes n'en revenaient pas !

CHAPITRE IV

UNE MANIFESTATION DE COLÈRE

— Il faut attirer l'attention de l'opinion publique ! criai-je.

J'accompagnai ma phrase d'un geste que j'avais dû voir à la télé lors d'un débat au parlement. La colère me donnait des ailes. Je voulais que nous agissions ensemble contre la mafia de l'école et que cela mette fin au racket. Combien d'argent avais-je déjà donné, les dents serrées, à Göhrke l'encaisseur et à ses sales comptables ? Pourtant je recevais très peu d'argent de poche : mon père n'avait pas de gros revenus à ce moment-là et l'argent gagné par ma mère était mis de côté pour acheter une nouvelle voiture. Et en plus, comme un idiot, je me faisais prendre le peu de sous que j'avais par ces apprentis gangsters ! Ça ne pouvait pas durer !

Uwe et Schmackes m'écoutaient, assis en silence, leur point rouge sur le front. Ils avaient quelque chose à se faire pardonner, je savais que je pourrais compter sur eux.

J'expliquai :

— Il nous faut des pancartes, des banderoles. Vous voyez ce que je veux dire. Ça fait de l'effet, peut-être qu'il y aura même la télé régionale. On aurait dû organiser cette manif dès que le chantage a commencé. On a été trop bêtes de ne pas se défendre tout de suite !

Heinrich, lui, s'était engagé : pour m'aider. Lui et moi, nous étions vraiment en danger. Mais en nous organisant avec vigilance et en restant solidaires les uns des autres, nous viendrions à bout des gorilles de première.

— Comment on va trouver des pancartes ? s'enquit Uwe.

— On les demande au Père Noël ! ricana Schmackes en tapant de son index sur le front d'Uwe. Réfléchis un peu, ta jolie petite tête est formée pour ça, pas pour faire des frites. Et si on allait voir Kappes-Jupp ?

Enfin une bonne idée ! Nous bûmes encore un peu de jus de citron périmé, et essuyâmes le sang sur nos fronts avant de quitter notre cachette en prenant les précautions d'usage. Je soufflai la bougie puis sortis le dernier, en camouflant le trou de l'entrée. Une légère odeur de soufre s'échappait des buissons touffus. Des traînées de nuages se mélangeaient à la vapeur des tours de refroidissement et des fumées des cheminées. Très loin vers l'ouest, là où la Ruhr se jette dans le Rhin, un brouillard grisâtre collait à la terre. Là-bas, il ne faisait jamais vraiment jour. Des bruits de moteur provenant de l'échangeur nord arrivaient jusqu'à notre montagne magique. Oui, ce lieu était pour nous une île au milieu de la grande ville. Même les grillons y chantaient.

Uwe et Schmackes m'attendaient près des voies abandonnées, à l'ombre de la galerie fantôme de la mine morte. Nous partîmes trouver Kappes-Jupp.

En réalité il s'appelait Josef Keuss, mais presque plus personne ne s'en souvenait. Il avait beau aérer, il ne parvenait pas à se débarrasser de l'odeur de choucroute et de légumes en conserve *Kappes* qui flottait chez lui. La bicoque aux murs humides et moisis était accolée au bâtiment du marchand de matériaux de construction et semblait impossible à chauffer correctement. Jupp pouvait mettre autant de bois qu'il voulait, rien n'y faisait. Mais je crois qu'il aimait y vivre parce que cette maison lui rappelait sa femme, morte d'un cancer. Chaque jour, il vidait une bouteille de schnaps à sa mémoire. Oh ! je sais bien que cela n'a pas dû beaucoup l'aider. On ne chasse pas les pensées tristes avec de l'alcool. Mais je trouvais cela stupide et cruel de la part des gens de la rue Emma de le traiter de poivrot.

Kappes-Jupp était également le trésorier de l'association des pigeons voyageurs, bien qu'il ne possédât pas lui-même de pigeonnier. Sans doute cela lui plaisait-il d'avoir des responsabilités et de pouvoir engager une discussion de temps en temps.

D'ailleurs, quand j'y repense, je crois qu'il avait pas mal de contacts avec les autres gens. Mais pendant le travail, il ne parlait pas beaucoup. Dans son atelier, il réparait pour des sommes modiques des montures de lunettes, des tricycles et des postes de radio. Il s'occupait aussi de trois ou quatre jardins et donnait parfois de curieux cours d'allemand aux enfants turcs de sa rue. En outre, il accompagnait à la cithare la chorale des garçons.

Quand le travail était trop dur pour ses vieux os, il nous arrivait de l'aider, en échange de quelques pièces ; poser du papier peint chez quelqu'un ou scier du bois, par exemple. Il nous racontait alors de drôles d'histoires embrouillées de l'« ancien temps », comme il disait. À un moment de sa vie, il avait dû travailler dans une administration, car il parlait souvent du cadastre et des biens immobiliers, termes que nous, enfants, ne comprenions guère. Et il aidait aussi les gens à remplir des formulaires administratifs ou à établir des requêtes compliquées. Après quoi il rouspétait invariablement contre les négligences de l'administration et promettait d'intercéder personnellement auprès de l'adjoint au maire. Mais les choses en restaient là.

Il savait aussi raconter la guerre. Il se contredisait toutefois souvent sur ce sujet, et quand il avait un peu trop d'alcool dans le sang, il confondait la Première et la Seconde Guerre Mondiale. Et on n'avait pas intérêt à le lui reprocher, sinon il nous répondait en écumant :

— La guerre, c'est la guerre. C'est toujours la même merde.

Un jour, il raconta même à Cordula qu'il avait plus de cent ans. Mais nous ne l'avons pas cru !

Cet après-midi-là, il était en train de bricoler le mécanisme d'un fauteuil roulant électrique, en sifflant des airs de son invention. On aurait dit le chant d'un merle ! Sa bouteille était encore assez pleine.

— Est-ce qu'on pourrait avoir des chutes de plaques d'aggloméré et un peu de peinture ? lui demanda Schmackes. On doit faire des pancartes d'urgence.

— Des pancartes pour quoi faire ? s'enquit Kappes-Jupp.

— Pour une importante manifestation, dis-je.

— Le diable vous emporte si vous ne rincez pas correctement les pinceaux après !

— On nettoie toujours tout, le rassura Uwe. Vous le savez très bien.

— Oui, oui, grommela Kappes-Jupp. Et ne prenez que les pots déjà bien entamés !

Il marmonna encore quelque chose dans sa barbe, mais nous ne l'écoutions déjà plus. Nous disparûmes dans le débarras plein à craquer que Kappes-Jupp appelait fièrement son « lieu de stockage », et dans lequel il jetait en fait ce dont il n'avait pas besoin.

— Ne touchez pas au poste à souder ! nous lança-t-il encore.

Il y avait des quantités de panneaux d'aggloméré et de contreplaqué de toutes les dimensions, ainsi que des chutes de papier peint et des cartons usagés. Le courage nous venait davantage au fur et à mesure que nous tracions à la peinture acrylique nos mots d'ordre enflammés. Le T-shirt bleu marine d'Uwe se transforma bientôt en blouse de peintre arc-en-ciel. Ses cheveux jadis blonds brillaient d'éclats vert azur et rouge tomate.

Malheureusement, Schmackes dut recommencer sa plus belle pancarte parce qu'il s'était souverainement moqué des règles d'orthographe en écrivant « port », « vomissuire » et « catcher ». Il semblait avoir de petits problèmes avec les terminaisons, et faillit écrire « solidavité ». Mais les lettres qu'il dessinait étaient impeccables.

Lorsque Kappes-Jupp se montra un peu plus tard à la porte, flageolant sur ses jambes, pour demander si Rembrandt, Van Gogh et Picasso avaient enfin terminé leurs œuvres, nous avions en effet fini notre travail : trois banderoles, une quantité importante de pancartes recouvertes de papier peint et deux panneaux pour un homme-sandwich. Les couleurs éclatantes étaient déjà presque sèches.

— Merci de votre aide généreuse ! lui lançai-je encore en me retournant, alors que nous partions dans la hâte, emportant notre lourd chargement.

— Je vous-vous enverrai la fa-facture par exprpress ! me répondit Kappes-Jupp en riant.

Nous rangeâmes notre matériel dans la cave de mon immeuble. Schmackes et Uwe promirent de m'attendre dès sept heures du matin et d'emmener avec eux Till, Sanne, Cordula, les jumeaux Ismail et Orhun ainsi que Manni Küpper.

— Comme ça, on aura du renfort, déclara Uwe.

J'avais des doutes. Se lèveraient-ils vraiment si tôt ?

— N'oubliez pas que ça les oblige à faire un énorme détour, leur dis-je, peu convaincu.

Schmackes secoua la tête en signe de dénégation :

— Je m'occupe de tout, ne t'inquiète pas. Je vais les appeler et...

— Orhun et Ismail n'ont pas le téléphone, dis-je.

Je pensais aussi que les parents du body-builder ne seraient sûrement pas d'accord avec tous ces coups de fil.

Uwe claqua dans ses doigts.

— Et alors ? Je vais passer les prévenir. Ils doivent être dans la cour en train de jouer au ping-pong.

Cela me convenait ! Cette fois, mes frères de sang ne m'abandonneraient pas, je le sentais. Je réfléchis : arriverais-je à convaincre Gerda de faire du charme à Rolf Bosse pour l'inciter à participer à notre action ? Il était le représentant des élèves, après tout, et devait lui aussi passer par le souterrain. En outre, je pourrais demander à quelques cinquièmes B de se joindre à nous. Oui, il me restait beaucoup à faire.

Une chose me tracassait cependant. Nous n'avions aucun moyen de prévenir Heinrich. Et pourtant il était capital qu'il arrive assez tôt pour se joindre à notre cortège. Seulement voilà : où habitait-il ? Le nom de ses parents ne figurait pas dans l'annuaire puisque les Swiegocki venaient seulement d'arriver. « Et si j'appelais les renseignements ? » pensai-je. Ils me demanderaient le prénom de M. ou de Mme Swiegocki, la rue où ils habitaient… Retour à la case départ.

Au dîner, il y avait du potage aux boulettes de viande. Je m'en souviens très bien car Bettina fit tomber sa cuillère dans la soupière et se brûla les doigts en voulant pêcher quelques boulettes supplémentaires. Un autre jour, cela m'aurait fait bondir parce que chacun a droit à autant de boulettes qu'il y a dans la louche. Où irait-on si certains se retrouvaient avec seulement du bouillon dans leur assiette et les autres avec toutes les boulettes de viande ! Mais ce soir-là, je n'y prêtai même pas attention.

— Ça ne va pas, Hennes ? me demanda ma mère.

Puis elle regarda mon père.

— Tu crois qu'il a attrapé quelque chose ? Il ne finit même pas son assiette !

Mon père continua à manger son bouillon en fixant le mur devant lui. Avait-il connu un après-midi désastreux ? Ses affaires ne marchaient plus depuis des semaines. Il n'avait décroché qu'un petit contrat. Même si nos parents n'en parlaient pas devant nous, mes sœurs et moi le savions bien. Cela nous faisait de la peine de voir notre père ainsi épuisé et déprimé.

Un peu plus tard, je parlai à Gerda. Mais elle m'affirma ne plus avoir de contact avec Rolf Bosse. Elle avait encore dû lui faire une scène de jalousie. Allez comprendre les filles de cet âge-là !

Dans ma chambre, j'écoutai une vieille cassette avec Bo Hansson : « Lord of the Rings ». Mais le cœur n'y était pas. Je laissai Titus, mon nouveau perroquet à la magnifique houppette, faire quelques tours dans la chambre et lâcher des crottes sur mon bureau en lui répétant encore et encore — malheureusement sans succès — le mot i-di-ot. Puis j'éteignis. Du salon me parvenaient les voix étouffées du téléviseur. Je pensais à Heinrich. J'étais fatigué mais je n'arrivais pas à m'endormir. Ensuite, des types à mobylette vinrent tourner devant l'immeuble en faisant pétarader leurs moteurs.

Je tombai dans une sorte de demi-sommeil. C'était un mélange de rêve et d'agitation : des images folles passaient devant mes yeux mais lorsque je me réveillai en sursaut, je ne réussis pas à m'en souvenir. Plus tard encore, bien après minuit, j'essayai péniblement de me rappeler le visage d'Indien de Heinrich. Je pensai aussi : « Et si j'étais vraiment malade ? Je suis en nage. Impossible d'aller à l'école. Je me ferai préparer des infusions à la camomille, des compresses chaudes et froides, j'avalerai des biscottes sans beurre. Mais impossible d'aller à l'école. Quoi qu'il arrive, je ne peux pas m'occuper de cette affaire. Si la manifestation échoue, je n'y serai pour rien. »

Quelle bêtise, ce genre de pensées !

L'idée venait de moi, j'en étais donc responsable. Nous nous étions fait la marque de sang sur le front. On ne plaisante pas avec ce genre de cérémonie. Fini de jouer au malade ! Comment céder maintenant à la lâcheté ? Heinrich avait-il été lâche ?

Quand le jour se leva, j'étais habillé depuis longtemps, révisant mes cours d'anglais assis sur mon lit. La Schlesinger était bien capable de nous faire une interro. Je ne pouvais pas me permettre d'avoir encore une mauvaise note. Elle n'annonçait jamais officiellement les devoirs sur table, mais ses allusions m'avaient semblé claires. J'étais énervé ce matin-là sans aucun doute, mais je retenais très bien les mots et les phrases.

The teacher got angry with a girl. The girl, the teacher got angry with, was Jill Smith. — Pourquoi pas…

Un peu plus tard, j'entendis mon père rouspéter dans le couloir. Les danses de beauté de Gerda devant la glace de la salle de bains duraient trop longtemps à son goût. Tous les matins, c'était pareil. Lorsqu'il alla préparer le café dans la cuisine, je me glissai hors de l'appartement. Ma mère en ferait une tête, quand elle viendrait réveiller le gros dormeur Hennes, un gant mouillé à la main !

Il n'était pas encore sept heures, loin de là, mais j'allai quand même déjà prendre les affiches et les banderoles dans la cave pour les poser dans l'entrée de l'immeuble. Conny Hohlmann, qui travaille comme vendeuse à la pâtisserie Kowalski, essaya de lire les inscriptions en descendant l'escalier. Mais elle ne réussit pas à les déchiffrer, parce que j'avais posé les pancartes à l'envers.

Uwe, Schmackes, Cordula, Till et les autres seraient-ils au rendez-vous ? À cette heure matinale, le bruit du trafic était déjà important.

Oui, ils répondirent présent !

Ils arrivèrent en chantant, en riant, en poussant des cris de guerre :

— Hi-ha-ho, Göhrke est K.O. !

— Hi-ha-hou, Waller va prendre des coups !

— Hi-ha-hotte, Astrid est une idiote !

Ils marchaient probablement en cadence, un pied sur le trottoir, l'autre sur la chaussée. Quelques voisins sortirent pour protester. Comme toujours ! Il suffit que quelques enfants crient pour qu'ils ouvrent la fenêtre et se plaignent ; mais contre les gros camions et les motards, ils ne se révoltent jamais. Non, ils n'osent pas.

Je sortis rapidement dans la rue pour leur faire signe.

— Tout va bien, Hennes ? me cria Schmackes.

— Et comment !

Till, Cordula, Uwe, Sanne et les élèves qui s'étaient joints à eux pénétrèrent dans l'immeuble avec fracas. Il fallait faire vite, je ne pouvais pas me permettre d'avoir des ennuis avec les voisins.

Ce fut une véritable fête d'aller en cortège jusqu'au passage souterrain ! En tête, Schmackes l'asperge. Sur sa pancarte, il avait peint un poing noir. En dessous était écrit : *Nous ne nous laisserons pas faire par les minus de la mafia !* Uwe s'était transformé en homme-sandwich. Sur la pancarte avant, on pouvait lire : *King Charly, Göhrke, Waller sont des lâches et des bandits qui volent l'argent des enfants !* Et dans son dos : *Hilde et Astrid sont de vraies voleuses !* Je levai ma banderole le plus haut que je pus : *Tous unis contre les cogneurs et les voleurs de première C !* Ah, quelle fête ! Les gens s'arrêtaient et nous regardaient passer avec curiosité. Sur leurs visages ébahis, on pouvait lire : « Qu'est-ce que c'est que cette manifestation ? » Quelques voitures faillirent même se rentrer dedans.

Le cortège était de plus en plus bruyant. On criait à s'en casser la voix. Toute notre colère et notre peur étaient dans ces cris. C'était un sentiment très fort.

CHAPITRE V

SUR LE SENTIER DE LA GUERRE

Notre cortège s'allongeait toujours plus. Quarante filles et garçons au moins en avaient grossi les rangs et d'autres ne cessaient d'arriver. Il y avait aussi quelques élèves de terminale qui voulaient savoir exactement comment les bandits nous avaient exploités.

Cordula et Bogdan avaient les voix les plus aiguës et lançaient les mots d'ordre. Ils criaient :

— Contre les sales voleurs…

Et nous leur répondions en chœur :

— Solidarité !

Ces cris étaient une douce musique à mon oreille, ô combien ! Nous couvrions les coups de klaxon, les pétarades des voitures et les grincements du tramway. Les automobilistes avaient beau s'énerver et brandir le poing : la rue était à nous. Je me disais qu'une manifestation importante a toujours la priorité. Je voyais très bien à quel point Ismail et Orhun savouraient notre marche de protestation. Ils étaient des nôtres. À l'époque, dans notre classe, on n'affichait aucun racisme contre les immigrés, mais ce n'était pas le cas dans toutes les classes. Certes, on ne voyait pas encore de skinheads, mais les premiers esprits fanatisés, pleins de haine, commençaient déjà à s'organiser dans l'école. Je sais que cela préoccupait beaucoup le Français. Le jour où Jules prononça le mot « bicot », le Français faillit lui arracher les yeux. Jules protesta en déclarant qu'il n'avait pas pensé à mal. Mais le Français n'admettait pas ces attitudes insultantes. Son expression favorite était : réfléchir d'abord, parler ensuite.

Nous avions distribué les pancartes bardées d'inscriptions percutantes :

Fini le chantage !

Nous ne paierons plus de loyer, nous allons nous défendre !

Défendez-vous contre ces lâches voleurs !

Des tomates pourries pour les maîtres-chanteurs !

L'union fait la force !

Victimes de la mafia, serrez-vous les coudes !

L'heure des affreuses minettes a sonné !

À poil, Göhrke !

J'avais mal à la gorge à force de crier, mais je continuais. Oui, je hurlais la peur et la rage qui m'étouffaient. Beaucoup d'entre nous tambourinaient sur leur cartable au rythme des slogans. Le policier posté au carrefour n'en crut manifestement pas ses yeux en voyant arriver notre colonne. Affolé, il se précipita sur sa moto et parla avec agitation dans le combiné de sa radio.

Mais nous étions déjà passés.

— Contre les lâches voleurs…

— Solidarité !

Comme cela résonnait quand nous arrivâmes sous la voûte du tunnel ! Combien de fois j'étais passé là, la peur au ventre ! Ce jour-là quel bonheur : ce n'étaient plus les types de la mafia qui nous attendaient, c'étaient nous qui les attendions.

Quant à moi, c'était surtout Heinrich que j'attendais.

— Possible qu'il ne vienne pas, dit Uwe. Son père ou sa mère vont peut-être l'amener en voiture. Mais ça ne m'étonnerait pas qu'il soit resté au lit pour se faire soigner.

Schmackes hocha la tête, ajoutant même que Heinrich était peut-être depuis longtemps à l'hôpital.

— Il pourrait avoir des lésions internes avec ce que le catcheur lui a mis hier. Un coup dans le foie ou dans les côtes. Si ça se trouve, il a même la rate éclatée. Il paraît que…

Je ne l'écoutais pas, pour ne pas me laisser décourager par son bavardage, et ne cessais de me répéter : « Heinrich viendra ! Heinrich viendra ! »

Mais celui qui arriva en premier, ce fut Göhrke. Il prit le virage façon frimeur et immobilisa sa mobylette en faisant crisser les pneus, près de son poste habituel : le kiosque à journaux. C'est là qu'il nous attendait toujours, pour coincer ceux ou celles qui avaient des loyers en retard.

C'est alors qu'il nous vit !

Göhrke le catcheur nous regarda d'abord d'un air ébahi. Soudain, comprenant ce qui se passait, il essaya de redémarrer son moteur en vitesse. Mais il était cerné. Le cortège se referma sur lui. Bon sang, ce que nous avons pu crier ! Quelques-uns s'apprêtaient à mettre sa machine en pièces détachées quand M. et Mme Swetland surgirent tout à coup — une vraie chance pour Göhrke ! Elle enseignait la physique et la chimie, lui l'histoire et l'allemand. S'ils n'étaient pas apparus à ce moment-là, je n'aurais pas donné cher de Göhrke et de sa bécane ! Évidemment les Swetland voulurent savoir ce qui se passait.

À se demander pourquoi on s'était donné la peine de faire des pancartes et des banderoles ! Il suffisait de lire pour comprendre. De toute façon, nous n'avions pas le temps de donner des explications, nous étions bien trop excités : Waller et Astrid étaient justement en train de traverser le passage piétons. Nous fonçâmes droit sur eux en criant. Ils restèrent bouche bée, figés comme des statues de sel. Puis Astrid hurla.

Ce n'était plus un cortège mais une marée humaine. Le motard de la police arriva en brandissant sa matraque lumineuse pour disperser la foule. Entre-temps nous avions encerclé Hilde. Des larmes coulaient sur ses joues. C'était le comble ! Quand l'un de nous se mettait à pleurer, elle était toujours la première à se moquer méchamment. Et maintenant, elle jouait à la pauvre princesse blanche tombée aux mains des cannibales ! Le sentiment de triomphe que j'éprouvais se mua en profond dégoût.

Seul King Charly nous échappa. Il était assis à l'arrière d'une grosse BMW et lorsqu'il comprit ce qui se passait, il fit signe au conducteur de continuer. Celui-ci enfonça l'accélérateur et grilla le feu rouge du carrefour. Le policier nota l'immatriculation.

Mais où était donc Heinrich ?

La foule des manifestants se remit en marche, direction l'école. Des parents, d'autres enseignants et même des passants curieux s'étaient joints à nous. Les gens discutaient : une réunion devait avoir lieu, il fallait que l'Éducation nationale soit avertie ! Et puis, que les enseignants se réunissent sur-le-champ, et que la police intervienne. Les slogans s'étaient transformés en hurlements et en rires, mais la voix claire de Cordula continuait à percer. Elle exultait littéralement en poussant ses cris de solidarité. Le policier se frayait un chemin dans la foule en donnant des ordres ; mais sa voix se perdait au milieu des clameurs.

Je dus m'extraire du cortège pour rester en arrière. Que faisait Heinrich ? J'étais certain qu'il allait venir.

— Eh, Hennes, ramène-toi !

Schmackes tirait sur la manche de ma veste pour m'entraîner.

— Il faut que j'att…

C'est alors que je vis Heinrich. Il marchait très vite. Je restai cloué sur place quand je reconnus ce qu'il tenait à la main. L'Apache était venu armé ! Un chef indien sur le sentier de guerre : cette pensée me traversa l'esprit. Dans la main droite il tenait un gourdin qui ressemblait à la hache du tout dernier des Mohicans. Ce n'était pas croyable ! Heinrich arrivait armé dans ce souterrain comme si ça allait de soi. Certains prennent un parapluie, d'autres un gourdin, oui, quelque chose comme cela. Je suis certain que Heinrich aurait affronté l'ensemble de la mafia. Quelle folie ! Il n'aurait pas eu la moindre chance. Ce n'était plus du courage mais de la bêtise. C'est en tout cas ce que je pensais en le voyant arriver. Je ne savais pas encore que le jour était proche où je comprendrais le comportement insensé de Heinrich.

— Ben mon vieux ! s'étonna Schmackes.

Il y avait beaucoup de respect dans sa voix.

— C'est au Cyclope que tu as emprunté ce gourdin ?

En voyant de près le visage de Heinrich, je sursautai. Sous son œil droit, la peau était presque noire : sans doute un gros hématome. L'aile du nez semblait déchirée. Une croûte de sang descendait jusqu'à la commissure des lèvres.

— Tu te serais vraiment défendu contre eux ? demanda Schmackes d'un ton incrédule.

— Tu peux compter sur moi ! répondit Heinrich avec calme. Je me défends toujours. Je ne me laisse faire par personne !

— Et s'ils t'avaient encore cassé la figure ?

Je lui tendis son sac de marin.

Heinrich serrait le gourdin à s'en faire blanchir les articulations.

C'est presque à voix basse qu'il dit :

— J'ai vu pire.

Là-dessus, il cracha par terre.

Que voulait-il dire ? Je n'arrivais pas à saisir. Nous l'entourâmes et courûmes pour rattraper les autres. Entre-temps, ils étaient arrivés dans la cour de l'école en poussant des cris perçants.

J'aurais tant aimé remercier Heinrich de s'être mis de mon côté, de m'avoir défendu. Mais je n'osais pas. Était-ce la crainte qu'il me réponde par un sourire moqueur ? Redoutais-je son ironie ? Je ne m'en souviens vraiment plus.

Heinrich faisait traîner son gourdin sur l'asphalte en écoutant silencieusement Schmackes qui lui parlait de notre stratégie d'un ton très excité et avec force gestes.

— Ils se sont fait petits comme ça en nous voyant ! s'enthousiasma Schmackes en indiquant la taille rétrécie des gros durs entre le pouce et l'index. S'ils s'attaquent encore une fois à plus petits qu'eux… Hum ! On en fera du haché menu pour bourrer nos pipes. On ne les laissera plus faire ce qu'ils veulent, tu peux me croire. Fini maintenant !

— Il était temps, non ? commenta Heinrich, le visage impassible. Il ne faut jamais se laisser faire. Une fois commencé…

Je sentais qu'il voulait ajouter quelque chose, mais il se tut. Il ne dit presque rien non plus dans le bureau du directeur, où nous nous retrouvâmes cinq minutes plus tard, alignés comme une équipe de football pour faire notre rapport à M. Spölten. Ce dernier nous écoutait avec un étonnement mêlé d'effroi.

L'imposant directeur Spölten, aux sourcils broussailleux et au front chauve, nous regardait comme un hibou triste. Il n'arrivait pas à croire ce qu'il venait d'entendre.

— Une mafia d'élèves ! Quel mot ! Qu'une chose pareille puisse exister — dans mon établissement ! Des élèves qui soutirent de l'argent à leurs propres camarades ! C'est… c'est…

Non, il ne termina pas sa phrase, mais nous savions très bien ce que c'était. Le directeur était littéralement sidéré. De même que les Swetland, le Français et le professeur principal de première C : ils étaient tous effarés.

Le Français me regarda et secoua la tête :

— Enfin, Hennes ! Vous êtes vraiment trop bêtes ! Pourquoi ne m'avoir rien dit ? Vous vous méfiez de moi à ce point ?

J'avais honte naturellement, mais juste un peu. C'était facile à dire, il n'était pas à ma place, le Français ! Les choses n'étaient pas si simples. Je voulus lui expliquer, mais j'avais du mal à parler tant j'avais la gorge serrée.

Entre-temps, le visage d'abord interloqué du directeur avait pris une expression furibonde.

— Pour commencer, on va s'occuper de ces petits malins de première C. C'est la première fois de toute ma carrière que je vois une chose pareille ! Une mafia d'élèves ! Le monde est-il devenu fou ?

— Peut-être bien, murmura le Français.

Mais je fus le seul à l'entendre car je me trouvais juste à côté de lui.

On nous pria de sortir. Dans notre classe, c'était la révolution. Heinrich l'Indien fut accueilli par un tonnerre d'applaudissements. Petra lui offrit une rose, déjà un peu fanée d'ailleurs.

— Ils vont nous laisser tranquilles, maintenant ! jubilait Uwe. On va les écraser. Le dirlo va les enfoncer sans qu'ils puissent rien dire. Ils ne ficheront plus la trouille à personne.

Mon estomac se remit à gargouiller, c'était mauvais signe. Non, je n'étais pas de l'avis d'Uwe. Le King et son gang nous laisseraient en paix pendant un petit moment, c'est sûr. Mais pas pour longtemps. Ils seraient aussi rancuniers que des éléphants. J'étais sûr et certain qu'ils se vengeraient de cette défaite. Je me dis : « Je parie mon appendice contre dix saucisses de Frankfurt qu'ils vont se venger ! » Heinrich et moi étions visés, nous devions rester tout particulièrement sur nos gardes.

Heinrich me donna un coup de coude.

— Eh, Hennes, on pourrait faire des maths ensemble cet après-midi ? Enfin, si ça te dit.

— Tu es drôle, toi !

Je ne pus m'empêcher de rire.

— Bien sûr, Heinrich, sans problème, répondis-je. On fera des maths cet après-midi.

CHAPITRE VI

L'ANGLE ALPHA
DANS LE VENTRE DE LA MONTAGNE

Ce fut un automne rayonnant ! Nous passions des après-midi merveilleux sur notre terril : Schmackes, Uwe, Cordula, Sanne et moi… Et Heinrich. Depuis longtemps, il appartenait à notre petite bande. Nous l'avions mis dans le secret de la grotte et, quoique avec une légère grimace, il avait prêté serment avec une goutte de sang. Nous ne mettions plus le bandeau aux filles. Il n'y avait pas de traître parmi nous.

Parfois nous faisions griller des tranches de pain et des rondelles de saucisses sur de petits feux de bois de bouleau, bois qui se consume sans fumée. Nous nous préparions des infusions de verveine et de menthe, ainsi que des galettes de maïs, comme de vrais cow-boys, en écoutant de la musique country sur le magnétophone de Sanne. Il nous arrivait aussi de suivre la mélodie mélancolique de la flûte de Pan ou de tambouriner le rythme des chansons des Rolling Stones sur des boîtes de conserve ou des pierres. Nous aurions aimé faire nous-mêmes de la musique et jouer nos propres mélodies mais malheureusement, aucun de nous ne possédait d'instrument.

Nous partagions ce que nous apportions : le Coca et les gâteaux secs, les quatre-quarts et les chewing-gums, le chocolat et les bananes… Un jour, Schmackes apporta une pipe et une poignée de tabac, mais cela se solda par une catastrophe. L'idée de Cordula d'apporter un clafoutis aux prunes fait maison était bien meilleure.

Nous nous faisions la lecture à tour de rôle, choisissant des livres qui parlaient de pays lointains. Ainsi, nous nous imaginions dans la jungle du Sri Lanka ou dans le désert de Gobi. Nous traversions à dos de chameau le Kalahari, nous nous attaquions aux parois de glace du Nanga Parbat, nous filions sur des mustangs rapides comme l'éclair à travers les prairies du Colorado, nous descendions les rapides de l'Alaska sur des canoës en peau de buffle.

Parfois même, on se racontait des histoires qu'on inventait. Heinrich, avec son imagination débordante, était celui qui savait le mieux nous tenir en haleine. Sa fantaisie semblait ne pas avoir de limites ! Je crois qu'il avait déjà lu beaucoup de livres ; bien plus que nous tous réunis. C'est seulement quand on se mettait à parler de ce qu'on aimerait faire plus tard qu'il se taisait. Il nous écoutait avec attention, sans dévoiler ses propres projets. C'est plus tard seulement que je m'en rendis compte. Étrange.

Uwe, par exemple, voulait traverser l'Afrique du nord au sud dans une Jeep. Cordula aussi, au début, avec Sanne bien sûr. Puis elle pensa qu'il serait plus amusant de partir seule, à la découverte des temples incas du Mexique. Schmackes avait choisi l'Australie. Il voulait filmer les koalas, les kangourous et les dangereux crocodiles, déterrer des émeraudes et devenir millionnaire. Je lui demandai s'il y avait des émeraudes en Australie. Il me répondit qu'en Australie, il y avait des émeraudes, des saphirs, et toutes sortes de pierres précieuses.

Personnellement j'avais du mal à me décider. D'un côté, je rêvais de croisières sans fin sous le soleil des Tropiques, d'îles scintillantes couvertes de palmiers et peuplées de vahinés : Tahiti, Samoa, Sumatra. De l'autre, je m'enthousiasmais pour l'élevage de moutons sur la Terre de Feu ou pour la traversée de l'Antarctique. En tout cas, je tenais absolument à ce qu'il y ait des chevaux dans mes aventures.

Heinrich, lui, se taisait.

Mais lorsqu'il s'agissait de choses pratiques, il était d'une adresse de vieux loup de mer. Il nous montrait comment faire une retenue des eaux de ruissellement avec de la boue sans subir l'épouvantable puanteur des produits chimiques. Il savait faire des nœuds marins et connaissait les plantes par leur nom. Il connaissait aussi le nom des insectes qui vivaient sur les pierres chaudes du terril. Heinrich était capable d'allumer un feu sans papier et il nous montrait les constellations. Un jour, avec des bâtons et des bouts de ficelle, il fabriqua un instrument pour mesurer la vitesse du vent.

Les fils étincelants de l'été indien dessinaient les motifs les plus divers entre les ronces et les branches des bouleaux. De temps à autre, il me semblait entendre le mugissement des bisons dans la steppe, mais ce n'était que le bruit des voitures sur l'échangeur de l'autoroute. Nous fûmes heureux durant cet automne radieux.

Parfois Heinrich et moi nous donnions rendez-vous seuls dans la grotte. Alors, à la lueur d'une bougie, nous faisions des exercices de géométrie dans le ventre de la montagne — sans nous soucier du soleil qui brillait au-dehors.

L'angle alpha a x degrés, la hauteur de la médiane mesure y centimètres, la somme des angles est… Heinrich avait grand besoin de cours de rattrapage et travaillait avec ardeur. Quelle étrange école avait-il dû fréquenter avant d'arriver dans la nôtre ! Je le questionnai plusieurs fois à ce sujet, mais il ne voulut jamais me répondre. D'ailleurs, il esquivait presque toutes les questions qui le concernaient directement.

Je commençais à trouver la grotte un peu trop inconfortable pour y faire nos devoirs.

— Si on allait chez moi ? lui proposai-je un jour.

Heinrich refusa.

— Tu préfères qu'on aille chez toi ?

Mais il ne voulait pas non plus. Il me regardait d'un air presque effrayé, alors que c'était pourtant une question très banale.

Je sentais que quelque chose n'allait pas. J'aurais sans doute mieux fait d'accepter sans discussion le choix de Heinrich. Mais qui aime dessiner des parallélogrammes et des triangles à genoux sur une brique branlante, à la lueur vacillante d'une bougie ? Qui cela amuse-t-il de déchiffrer des chiffres et des lettres, le nez collé à la page ! Cela commençait à nous donner des maux de tête et des picotements aux yeux.

Cette question me torturait : Pourquoi Heinrich le courageux Indien ne voulait-il pas m'accompagner chez moi ? Pourquoi était-il soudain si farouche ? Que craignait-il ? Et il y avait autre chose qui me préoccupait : Pourquoi ne pouvais-je pas aller chez lui ? Mon imagination me faisait songer aux choses les plus folles. Peut-être son père était-il un vampire, peut-être sa mère officiait-elle comme sorcière dans un château en ruine en faisant bouillir des crapauds dans d'immenses marmites ; peut-être ses frères et sœurs avaient-ils des têtes de loup et dévoraient-ils les enfants. Ou encore : Heinrich vivait à bord d'un vaisseau pirate, dans un fief d'espions secrets, dans une caverne de voleurs, dans une fosse d'assassins, dans une grotte d'opiomanes, dans une taverne où se pratiquait la traite des Blanches...

Bêtises ! Non-sens ! Histoires à dormir debout !

Mais je sentais qu'il y avait quelque chose de bizarre. Pourquoi Heinrich nous répondait-il toujours évasivement quand nous lui demandions où il habitait ? Quand nous parlions de nos familles, de nos frères et sœurs, Heinrich ne semblait jamais savoir exactement combien de membres comportait sa famille. Un jour il avait deux frères, le lendemain trois, puis soudain plusieurs sœurs dont l'âge n'était jamais le même.

J'essayais de glaner des informations. Un jour je lui dis :

— Tu sais, mon père est tout le temps de mauvaise humeur. Il est représentant et fait de misérables bénéfices en ce moment. Tu vois l'ambiance chez nous ? J'espère que ça va bientôt changer, sinon je m'en vais. Et ton père ? C'est quoi, sa profession ?

Heinrich haussa les épaules :

— Oh, ça dépend des jours.

— Tu n'en sais rien ?

— Si, si… C'est un truc dans le commerce. Du travail de bureau. Import-export, dans ce genre-là.

Allez vous y retrouver avec ça ! Ce n'était pas une réponse. Un truc dans le commerce ! Il ne disait pas la vérité. Pourquoi me mentait-il ? Nous étions amis pourtant ! On n'a pas de secrets entre amis.

Le soir dans mon lit, pendant que Titus se promenait sur mes doigts d'orteil, je réfléchis au comportement étrange de Heinrich. Avait-il honte de quelque chose ? Son père était peut-être au chômage. Mais c'était idiot ! Les parents de plusieurs de nos copains d'école avaient perdu leur travail. Nous en parlions ouvertement, cela ne touchait pas leur honneur. Un ouvrier n'y peut rien si son entreprise ferme. Heinrich aurait très bien pu dire : « Mon père touche l'argent du chômage en ce moment. » Qu'est-ce que cela aurait changé entre nous ?

Puis je pensai : « Heinrich n'est pourtant pas un lâche. Non, sûrement pas lui. » Je me souvenais très bien qu'il avait approuvé Sabine quand elle s'était énervée contre la société Prawutt :

— Vous vous rendez compte d'une saloperie ! Déposer le bilan, comme ça, du jour au lendemain. Les patrons avaient prévu froidement, mais ils l'ont dit aux ouvriers au dernier moment. Tous les soudeurs se retrouvent sans travail. Mon père aussi. C'était le meilleur soudeur de l'usine. C'est vraiment dégueulasse !

Oui, Heinrich avait acquiescé. Il arrivait souvent qu'un élève annonce le licenciement de son père ou de sa mère. *Mise à pied*, comme on disait. Cette expression nous faisait rire.

Heinrich participait toujours à nos discussions quand on parlait de géométrie ou de la baisse de forme du club de foot des Schalke, des sautes d'humeur du Français ou de la poitrine de Cordula, qui commençait à se remarquer. On pouvait discuter sur les cochons d'Inde, le hit-parade et les verbes anglais irréguliers. Aucun problème. Nous traversions des champs d'orties, observions les faucons au-dessus des tours de refroidissement, sifflions les fausses blondes qui sortaient de chez le coiffeur, volions des pommes et écoutions pendant des heures des disques chez le marchand. Heinrich participait, s'amusait et bavardait avec nous. Mais quand nous abordions certains sujets, il se refermait sur lui-même, semblait ailleurs. Parfois je ne m'expliquai pas ses silences. Et pourtant j'aurais tellement voulu comprendre son attitude, puisque nous étions amis !

Un jour, après l'école, Schmackes commença à parler, en butant sur les mots. Nous venions de sortir du souterrain et nous avions dit au revoir à Heinrich, Uwe, Mirjam et quelques autres. On continuait à n'y passer qu'en groupe. Les mafiosi avaient beau nous laisser tranquilles à présent, il valait mieux rester sur nos gardes.

— Tu sais… je trouve ça bizarre que Heinrich… Enfin, qu'il parte chaque jour dans une direction différente… C'est…

Schmackes me regardait en dodelinant de la tête comme une poule.

— Tu as raison, c'est bizarre, lui répondis-je.

— Pourquoi il fait ça ? insista Schmackes. Tu devrais le savoir, toi. C'est toi qui le connais le mieux.

Je n'en avais aucune idée.

— Tu vois, le plus étrange c'est que…

Schmackes s'arrêta un instant et dessina dans l'air un point d'interrogation avec sa clef.

— C'est que…

— Accouche, Schmackes !

— Eh bien, le Français n'a inscrit que son nom dans le cahier de textes, pas son adresse.

Cet après-midi-là, nous forgeâmes un plan, Schmackes et moi. Uwe fut mis dans le secret un peu plus tard. On ne se doutait pas que c'était un plan bête et méchant. À l'époque nous étions curieux, rien de plus.

CHAPITRE VII

L'ÉNIGME DE LA MAISON ROUGE

Le lendemain, nous reformâmes des groupes pour la « traversée du tunnel », comme nous l'appelions désormais. À présent, après la dernière heure de cours, des professeurs se mêlaient aux groupes d'élèves. King Charly et sa bande filaient doux depuis qu'ils s'étaient fait sévèrement sermonner par le directeur. Ils avaient été menacés de renvoi, on avait averti leurs parents, des plaintes avaient été déposées. Apparemment, le calme était revenu.

Apparemment ! Je ne me faisais pas d'illusions. Il suffisait de voir la façon dont Göhrke et les autres nous toisaient. Attendez un peu, disaient leurs regards, nous avons tout notre temps, mais le jour de la vengeance viendra ! J'avais également remarqué que la bande de Charly s'était agrandie : les affreuses minettes avaient attiré quelques types de première.

C'est de cela que nous parlions cet après-midi-là, en rentrant chez nous. Nous étions d'accord pour reconnaître qu'au fond, il n'y avait qu'une seule protection efficace contre la mafia : nous devions devenir membres des *Grenouilles*.

— Des Grenouilles ?

Heinrich se tapota le front avec son index.

— Ça va pas la tête ?

Si, ça allait très bien. Heinrich ne pouvait pas comprendre, il venait d'arriver dans la ville.

Uwe entreprit de lui expliquer :

— Dans notre quartier, c'est les Grenouilles qui décident. Tu piges ? C'est une association d'enfer ! Les Grenouilles les plus importantes ont toutes des grosses motos. Quand on en fait partie, on a le droit de se coller une grenouille sur son blouson. Il ne vaut mieux pas se frotter à ces types. Ça ! Quand ils vous ont dans le nez…

— Celui qui offense une Grenouille offense toutes les Grenouilles, compléta Schmackes. Tu piges notre tactique, maintenant ?

— Mais Göhrke le catcheur a aussi une grenouille sur son blouson ! s'écria Heinrich. Je l'ai très bien vue !

Uwe posa sa main sur le bras de Heinrich.

— C'est là le truc. La règle chez les Grenouilles, c'est qu'ils ne peuvent pas s'attaquer entre eux. Donc, si on devient Grenouille, on...

Heinrich repoussa la main d'Uwe d'un geste brusque.

— Tu es cinglé ou quoi ?

Qui aurait pensé que le placide Apache puisse s'énerver à ce point !

— Tu es vraiment cinglé, reprit-il. Vous êtes tous cinglés. Vous voulez vraiment devenir membres d'un club qui accepte des lâches comme Göhrke ? Ça ne tourne pas rond chez vous !

Heinrich nous fixa l'un après l'autre, d'un air incrédule. Finalement, son regard se posa sur moi.

J'avalai ma salive sans savoir quoi dire.

Par chance, Schmackes lui répondit :

— Il faut comprendre que... dit-il en reniflant d'un air gêné, dans un grand club comme celui-là, il y a des lavettes mais aussi des mecs bien. La plupart, c'est des mecs bien, je t'assure.

Heinrich se contenta de grogner d'un ton méprisant :

— Le jour où j'adhérerai à un club, ce sera un club où il n'y a pas une seule lavette mais rien que des gens bien. Je ne supporte pas les clubs avec des lavettes. En plus Göhrke n'est pas seulement une lavette. C'est surtout un lâche et une brute. De toute façon, quand j'y pense, les clubs, les groupes, les rassemblements de masse, je déteste ça. Je veux pouvoir toujours faire ce que je veux. Je ne suis pas un mouton qui suit les ordres de son chef.

— Tu n'as pas intérêt à dire ça à une Grenouille ! s'esclaffa Uwe.

Schmackes avait dit à peu près la vérité. Il y avait effectivement des lavettes chez les Grenouilles et il y avait aussi des gens bien. Comme d'habitude, les adultes simplifiaient les choses avec leurs stupides préjugés. Ils se convainquaient mutuellement que tous les membres des Grenouilles étaient des gangsters et des criminels et que la police devait interdire un club si dangereux. Je crois que certains le disaient par peur des Grenouilles. Aujourd'hui, j'interprète mieux leur réaction. Il arrivait vraiment aux Grenouilles de casser une vitre, de traverser certaines nuits la ville en faisant hurler leurs bécanes, de faire des gestes obscènes ou de démolir des panneaux de signalisation. Je n'ai peut-être pas bien compris à l'époque que cela n'a rien d'une blague lorsque des toxicomanes font fumer leurs joints à des enfants. Il y a peut-être des choses que je ne voulais pas voir. Je sais cependant que certains d'entre eux buvaient pour guérir un temps leur tristesse et leur amertume. L'ennui et la peur de l'avenir y étaient certainement pour quelque chose. Beaucoup étaient chômeurs et squattaient des immeubles destinés à la démolition. Il y avait souvent des bagarres.

Les Grenouilles n'étaient pas des anges, ça non ! Mais il ne fallait pas oublier ceci : il n'y avait plus de problèmes dans la discothèque de Hermi, il existait une aide aux devoirs et des cours de langue pour les étrangers, un atelier avait été aménagé dans l'ancienne usine de confiture pour les jeunes sans place d'apprentissage, on s'entraidait pour réparer les mobylettes et les motos et on organisait régulièrement des concours de cartes avec les retraités des fonderies. Et tout cela, c'était l'œuvre des Grenouilles. Je me souviens que la plupart des adultes ne dressaient l'oreille que lorsque certaines Grenouilles mettaient le bazar.

— De toute façon, ils ne nous prendront pas !

Schmackes voulut montrer ses talents de cracheur en visant un lampadaire, mais il le manqua.

Uwe faisait une tête triste comme un épagneul.

— Ils n'acceptent pas les petits calibres.

— Les quoi ? demanda Heinrich.

— Ils appellent petits calibres ceux qui n'ont pas encore treize ans, lui expliquai-je. On ne peut pas se présenter avant cet âge-là.

Heinrich émit des gloussements nerveux.

— Postuler pour un club aussi louche ?
Merci bien ! Je dois rentrer, maintenant.

Sa réaction m'agaçait. Pourquoi ne voulait-il
pas accepter notre point de vue ? Nous avions tout
simplement envie de faire partie de ce club formi-
dable. Nous voulions connaître cette impression
de force qu'on a dans un groupe. Et nous mettre
à l'abri de la vengeance de la mafia. N'étaient-ce
pas de bonnes raisons ?

— Il vaut mieux rentrer, maintenant, dit
Schmackes. Salut, tout le monde !

— Salut, les petits calibres ! cria Heinrich en
rigolant.

Notre plan stupide ! Uwe et Schmackes firent
semblant de reprendre le souterrain, mais il était
convenu qu'ils suivraient Heinrich. Celui-ci ne
s'y attendait pas et il ne penserait qu'à me semer,
moi, comme d'habitude. Heinrich m'accompagna
jusqu'à la place Friedrich-Ebert. Là, je devais
prendre à droite, dans la rue des Ormes. Rue des
Ormes ! Quelle bonne blague, ce nom ! Depuis
longtemps il n'y avait plus aucun orme dans cette
rue, ni d'ailleurs aucun autre arbre. On se boxa un
peu, comme d'habitude, puis je m'éloignai sans
me retourner, sachant très bien que Heinrich me
regardait partir — comme d'habitude.

Je n'avais plus qu'à tourner au prochain angle de rue et j'étais chez moi en deux minutes. Je jetai mon cartable sur le plancher, criai en direction de la cuisine que j'avais oublié quelque chose à l'école et m'élançai dans la rue. Je courus aussi vite que je pus jusqu'à la place Friedrich-Ebert. Comme convenu, Uwe avait dessiné une flèche sur le mur des toilettes publiques. Heinrich avait donc remonté la rue Stinnes. Mes copains étaient sur ses traces.

Je sprintai le long des immeubles, prêt à chaque instant à disparaître d'un bond dans une entrée. Mais je ne voyais rien encore, ni Heinrich ni ses poursuivants.

Une autre flèche ! Elle indiquait la direction de la rue Thyssen. Je me glissai jusqu'au prochain angle de rue. Je faillis renverser une petite fille qui jouait toute seule à la marelle. Je commençais à transpirer sérieusement ; je pris deux fois à gauche et une fois à droite à toute allure, dans les rues presque vides — et me retrouvai de nouveau place Friedrich-Ebert. Heinrich le rusé, l'astucieux Indien : Schmackes avait fait un immense détour pour revenir à son point de départ. Notre pressentiment était donc juste. Il y avait vraiment quelque chose de louche !

Malgré cela, ma mauvaise conscience me torturait, j'avais l'impression d'être un traître.

Espionne-t-on un ami ? Poursuit-on celui qui s'est montré un camarade courageux ? Mais il était bien trop tard pour de telles considérations, car même si j'abandonnais la poursuite, Uwe et Schmackes continueraient à suivre la trace de Heinrich.

Je découvris la prochaine flèche sur le mur d'une maison de la rue des Sapins. Encore un de ces noms qui ne signifiaient plus rien. Uwe m'attendait au bout de la rue. Très excité, il désignait quelque chose devant lui. Nous continuâmes à courir côte à côte. Schmackes était tapi derrière la colonne d'un panneau d'affichage.

— Il vient juste de tourner à l'angle, chuchota-t-il.

L'œil aux aguets, je me faufilai jusqu'à la palissade du chantier. J'ignore pourquoi nous parlions à voix basse, pourquoi je marchais si prudemment, car le vacarme de la bétonneuse couvrait tous les autres bruits. Peut-être voulions-nous nous convaincre que c'était un jeu excitant.

D'un pas rapide, Heinrich foula le gravier de la place Kirme où quelques rares voitures étaient garées. Il était maintenant environ à deux cents mètres devant nous.

Nous étions obligés d'attendre !

Il lui suffisait en effet de se retourner une seule fois pour nous découvrir à coup sûr. Nous profitâmes du passage bruyant d'un camion de déménagement pour changer de trottoir. Ainsi avions-nous gagné quarante mètres supplémentaires, l'avancée du supermarché nous protégeant.

— Mais où est-ce qu'il va ! gémit Schmackes.

— Sûrement pas en Alaska, lui répondis-je. Derrière la place Kirme, c'est le bout du monde.

À peine avions-nous quitté notre cachette que nous le vîmes disparaître entre les haies de troènes de l'autre côté de la place. Et à peine eûmes-nous le temps de nous accroupir entre ces buissons à l'odeur âcre et les bancs abîmés des retraités, que Heinrich apparut devant la porte d'une maison en briques rouges. Étrange maison ! La porte était couronnée d'un arc de cercle, le bâtiment vieillot comportait trois étages.

— Baissez-vous ! souffla Uwe.

Mais Schmackes et moi avions vu Heinrich jeter un coup d'œil par-dessus son épaule avant d'entrer dans la maison. Nous avions également vu qu'un jeune homme lui avait ouvert.

— Quelle maison bizarre ! s'exclama Schmackes. Qui peut bien habiter dans une demeure pareille ?

— On dirait une vieille école, dit Uwe.

Oui, c'est vrai, le bâtiment ressemblait à une vieille école. Il avait de hautes fenêtres étroites à petits carreaux. J'aperçus la sirène sur le toit sombre et comptai quatre marches pour parvenir à l'entrée. Entre le muret et la maison s'étendait une cour asphaltée ; manifestement, elle faisait le tour du bâtiment. Je vis aussi des garages à vélo tordus, qui ne servaient plus depuis longtemps. Il y avait douze fenêtres sur la façade. Des haies de forsythias mal entretenues séparaient le terrain de l'atelier du casseur qui se trouvait à côté.

— Quelqu'un doit s'approcher de la porte, déclara Uwe.

— Pas Hennes, en tout cas, décida Schmackes. Heinrich le connaît trop bien. Laissez-moi faire. Ça dérange quelqu'un ?

Uwe et moi n'étions d'accord ni l'un ni l'autre : Heinrich reconnaîtrait du premier coup la maigre silhouette de Schmackes, si par hasard il regardait par la fenêtre. Il valait mieux qu'Uwe se faufile jusqu'à la porte d'entrée. Il enfila l'anorak de Schmackes et mit la capuche malgré le soleil. Nous lui remontâmes son jean jusqu'aux genoux pour qu'il ait l'air d'un épouvantail.

Uwe partit d'abord d'une démarche nonchalante, puis il accéléra. Nous le vîmes lire l'inscription sur la plaque métallique fixée au muret. Uwe revint ensuite vers nous en faisant un grand détour ; il rapportait une nouvelle étonnante.

— Vous savez ce qui est écrit ? *Foyer Régional pour les Jeunes* ! J'ai vu plein de têtes derrière les fenêtres. Des jeunes. Oui, et en haut, il y a des lits superposés. Je crois qu'ils habitent vraiment là, ces gars. J'aimerais bien qu'on m'explique ! Vous y comprenez quelque chose, vous ?

Nous connaissions les auberges de jeunesse, les maisons de SOS Amitié, les centres de loisirs, les foyers pour orphelins, les foyers de jeunes des églises catholiques et protestantes, mais nous n'avions aucune idée de ce que pouvait signifier Foyer Régional pour les Jeunes. Heinrich habitait-il vraiment dans cette maison rouge ?

— Il rend peut-être visite à quelqu'un, suggéra prudemment Schmackes.

Uwe en doutait.

— Pourquoi est-ce qu'il fait tous les jours des détours et qu'il nous raconte des trucs tordus, alors ? Pourquoi il ne nous a pas encore dit où il habite ? Moi, je parie qu'il habite ici !

Oui, je me souviens très bien qu'il y eut dans ma tête comme une réaction en chaîne. Je ressentis de nouveau un sentiment de culpabilité. Heinrich ne voulait pas nous dire où il habitait, c'était l'essentiel. Apparemment, il avait ses raisons. Et nous, bande d'idiots, pourquoi ne pouvions-nous pas les respecter ? Mais nous étions allés bien trop loin et nous étions bien trop énervés pour pouvoir encore réfléchir. Nous voulions en avoir le cœur net.

Quel genre de maison était-ce ? Qui y habitait ? Pourquoi Heinrich s'y rendait-il ? Il y avait sûrement quelque chose de captivant, de mystérieux, d'énigmatique à découvrir ! Qu'essayait-on de nous cacher ? Le Français n'avait pas écrit l'adresse dans le cahier de textes de la classe. Heinrich racontait des choses contradictoires sur sa famille…

L'espace d'un instant, je souhaitai que cette maison en briques rouges fût une sorte de foyer pour gens exceptionnels. Pour des gens très courageux, par exemple, très intelligents aussi, peut-être pour des sportifs d'exception. Ce type d'établissement existait : des écoles pour les nageurs, les skieurs et les gymnastes qu'on voulait pousser. Mais dans ce cas, Heinrich aurait pu en parler !

— Nous allons tirer ça au clair ! déclara Schmackes.

Son visage était empreint à cet instant de la fièvre du chasseur.

— Venez, on va se renseigner chez les vendeurs de fruits de l'arrêt de bus, proposa Uwe. Ils doivent savoir, eux. Suivez-moi, les gars !

Je les accompagnai, malgré mes crampes d'estomac. Une femme d'un certain âge, habillée d'une blouse rayée blanc et vert, vendait des bananes, des oranges et des kiwis. Elle avait de la moustache sur la lèvre supérieure. Nous avions en poche de quoi acheter des pommes. Nous procédâmes avec ruse en demandant d'abord trois grosses goldens. Puis nous l'interrogeâmes sur la maison.

— Prenez garde qu'on ne vous y enferme pas !

La femme eut un mauvais sourire et adressa un clin d'œil à une cliente.

— Pourquoi ?

Nous avions posé cette question en chœur.

— C'est un foyer de redressement ! Il n'y a que des jeunes délinquants là-dedans, qui ont déjà tous un casier. Ils ont volé, fichu le feu, attaqué des femmes. Peut-être même pire, sait-on jamais ! Il y en a qui commencent tôt. Des sacrés voyous ! De vrais gangsters ! Je vais vous dire pourquoi ils habitent là. Parce qu'ils sont encore trop jeunes pour être envoyés en prison. C'est ça, les lois modernes ! Vous voulez que je vous dise ? Ils n'ont pas été suffisamment corrigés par leurs parents ! Une bonne paire de claques, ça ne fait de mal à personne, au contraire. On voit bien le résultat de cette éducation moderne faite de laisser-aller. Encore enfants et déjà criminels !

La femme continuait à répandre son venin, mais je ne l'écoutais plus depuis longtemps. Dans ma tête, il y avait un vide glacial. J'aurais voulu hurler. Je m'agrippai à l'étal, tenant à peine sur mes jambes.

Heinrich, mon ami Heinrich, le vaillant Indien ! Lui, dans une maison de redressement ! Lui, un criminel ? Lui, s'attaquer à des gens, voler ? Heinrich ne pouvait pas être un gangster !

— Vous dites n'importe quoi ! m'écriai-je. Ce n'est pas vrai ! Vous venez d'inventer ça pour vous payer notre tête !

Le rire sonore de la femme revint me torturer.

— Demandez donc aux gens si vous ne voulez pas me croire ! C'est une institution pour jeunes criminels, voilà ce que c'est. Ils l'appellent autrement pour qu'on ne s'en rende pas compte. Mais ici tout le monde est au courant.

Plusieurs personnes attendaient devant l'étal : des femmes au foyer, des hommes plus âgés, des automobilistes pressés de faire leurs courses qui acquiescèrent en gloussant méchamment.

Ma vue commençait à se brouiller. Je me mordis les lèvres et pensai : « Il n'y a pas de grilles aux fenêtres. En plus, Heinrich va à l'école comme les autres et l'après-midi il nous retrouve à la grotte. » Un horrible soupçon s'était cependant immiscé dans mon cerveau et ne me lâchait plus. Je me souvins que Heinrich avait parlé des coups terribles qu'il avait reçus. Est-ce qu'on les battait dans la maison rouge ?

Je me sentais attiré par Heinrich et en même temps il me semblait devenu un étranger. J'étais comme ce chien dans une histoire qu'on m'avait racontée, qui se torturait affreusement parce qu'il ne pouvait pas se décider à suivre son premier ou son deuxième maître. Il en allait de même de mes sentiments envers Heinrich.

Schmackes dit d'une voix oppressée :

— J'ai l'impression qu'on vient de me taper sur la tête avec une poêle à frire. Je suis K.O.

Oui, c'était à peu près l'effet que cela faisait.

Nous nous jurâmes de ne parler à personne de notre découverte. C'était un secret pesant : seuls Schmackes, Uwe et moi le connaissions. Et que faire à l'égard de Heinrich ?

Sur le chemin du retour, nous ne prononçâmes pas un mot. Je crois que nous avions besoin de mettre de l'ordre dans nos idées. Un jeu captivant au départ s'était transformé en un véritable choc pour nous. Mais il était trop tard pour revenir en arrière.

CHAPITRE VIII

ÉPREUVE DE COURAGE
POUR PETITS CALIBRES

Il ne m'est pas facile de parler des jours qui sui-
virent. Je n'osais pas regarder Heinrich en face, et
lorsque nous nous retrouvions tous les deux — ce
que je cherchais à éviter —, j'étais si gêné que
j'avais du mal à enchaîner correctement mes
phrases. Ensemble, nous avons cueilli des noi-
settes, fait des exercices de mathématiques, une
rédaction, grillé des pommes de terre dans la
cendre chaude, regardé les corneilles du haut du
terril ; nous avons joué aux cartes pendant la
récréation et parlé de choses sans importance. Je
faisais comme si de rien n'était. Mais j'avais le
cœur retourné de jouer ce jeu malhonnête. Je
n'avais même pas le courage de parler ouvertement à Heinrich. Et pourtant, nous étions amis !

Je crois que c'était surtout Uwe qui nous poussait sans en démordre à demander au chef des Grenouilles de faire une exception et de nous admettre dans son club malgré notre âge. Schmackes était d'accord. Les regards que les ex-mafiosi nous lançaient étaient un signal permanent du danger qui nous guettait.

En principe, on ne devait pas s'adresser directement au chef des Grenouilles, en tout cas pas en tant que petit calibre. Il était difficile de l'approcher. Il régnait dans ce club une hiérarchie aussi sévère que dans un régiment. Le lieutenant des Grenouilles s'appelait Tommy — du moins, il se faisait appeler ainsi. Quand il faisait le fou sur sa Honda, il portait toujours un blouson de cuir vert grenouille. C'est de là que venait le nom du club. Seul Tommy avait le droit de porter une tenue verte et il s'appliquait à faire respecter cette règle.

Non, nous ne pouvions naturellement pas nous adresser à Tommy, ni même à ses adjoints. On ne va pas trouver le premier ministre pour faire valider un permis de conduire.

Mais le frère de Sanne était l'ami d'un membre du club qui avait des relations dans les hautes sphères. Sanne était d'accord pour « intercéder » en notre faveur, comme elle disait : pour Schmackes, Uwe, Heinrich et moi. Je crois que Heinrich et elle s'aimaient bien.

— Je n'entre pas dans vos combines ! pesta Heinrich en apprenant notre plan. Je vous ai déjà dit que je n'adhérerai pas à un club où il y a des chiffes molles !

Alors, nous lui parlâmes comme à un enfant malade, lui disant qu'il y avait sûrement plus de gens bien chez les Grenouilles qu'ailleurs, que ce tordu de Göhrke était l'exception qui confirme la règle, et que les Grenouilles organisaient toujours des trucs fantastiques. Heinrich accueillit nos arguments avec sarcasme.

Puis Schmackes lâcha le mot qui devait tout changer.

Pendant la dernière récréation, alors que nous étions assis sous le platane au fond de la cour, il demanda, d'un ton faussement détaché :

— Tu ne serais pas un peu lâche, des fois ?

Heinrich, le placide Indien, sembla soudain parcouru d'un courant électrique. Il perdit contrôle de lui-même, se mit à trembler, à gigoter. Nous ne l'avions encore jamais vu dans une telle agitation. C'était un miracle qu'il n'ait pas sauté à la gorge de Schmackes.

— Quel rapport avec la lâcheté si je ne veux pas de ces satanées Grenouilles ? hurla-t-il.

Le mot « lâche » l'avait rendu complètement fou.

Schmackes fit un grand effort sur lui-même pour garder son sang-froid.

— Parce qu'il faut passer une épreuve de courage pour être admis.

Heinrich, sans aucun doute touché à son point le plus sensible, écumait de rage. Lui qui n'avait pourtant pas à nous prouver sa bravoure cria :

— Moi, j'aurais la trouille d'une épreuve ? Il vous manque une case ! Je vais vous montrer ! D'accord, faites votre demande d'admission chez les Grenouilles. En six exemplaires, si vous voulez, et avec la signature des parents, tuteurs et autres personnes autorisées. Pointure du demi-frère, couleur des oreilles de la grand-mère, tour de taille du parrain, date de la dernière fois que vous avez pissé au lit : je remplis tout ça en capitales d'imprimerie. Je vous suis. Léchez-leur les bottes, à messieurs les Grenouilles, pour qu'ils nous admettent à leur épreuve de courage débile. Allons-y !

Puis Heinrich murmura d'un ton menaçant :

— Mais ne dites plus jamais que je suis un lâche !

— Je n'ai jamais prétendu ça, répondit Schmackes d'une petite voix. C'était juste une question. C'est bon, oublie-la !

Schmackes était tout pâle. Peut-être craignait-il que l'Apache furieux ne lui fende le crâne à coups de tomahawk. Uwe et moi échangeâmes un regard à la dérobée. Qui aurait pu prévoir une telle explosion de colère ? Heinrich venait de nous donner une nouvelle énigme à résoudre.

L'affaire se mit en marche. Sanne fit jouer ses relations, son frère fit jouer ses relations, l'ami de son frère fit jouer ses relations, un conducteur de Vespa à barbiche fit jouer ses relations... Nous « achetâmes » Sanne avec des petits cadeaux, qui acheta son frère, qui acheta son ami, qui acheta le conducteur de la Vespa, qui acheta je ne sais qui.

Je pensais : « Payer un loyer à la mafia ou des pots-de-vin aux Grenouilles — quelle différence après tout ? » Probablement ne l'ai-je pas exactement pensé à l'époque, mais seulement pressenti, sinon j'en aurais tiré les bonnes conclusions. Je désirais tellement être admis dans le club des Grenouilles. Quand on en faisait partie, on était quelqu'un !

Il y eut quelques problèmes au début. On nous fit comprendre qu'il ne devait pas y avoir d'exception à la règle, afin que tous les petits calibres du quartier ne demandent pas leur admission. Avec le jargon bureaucratique, on nous expliqua qu'il ne fallait pas « créer de précédent ». Nous devions encore attendre tranquillement quelques mois, et quand nous aurions l'âge requis, on en reparlerait. Mais un jour, nous reçûmes la nouvelle que Lothar Hetzel, le gars à la barbiche surnommé Attila, avait reçu l'ordre du commandement des Grenouilles de nous mettre à l'épreuve. J'en avais des battements de cœur tant j'étais anxieux.

Fiers comme des papes, nous nous sentîmes grandir d'un seul coup. Il y avait espoir que les Grenouilles nous donnent une chance ! Quel autre garçon de douze ans avait déjà reçu pareil honneur ? C'est du moins ce que nous pensions. Nous espérions ardemment que ce n'était pas juste un bruit qui courait.

Tout cela n'émouvait pas Heinrich. Il s'intéressait davantage à la géométrie qu'à toutes les Grenouilles du monde. Avec quel enthousiasme il se plongea dans les mathématiques ! Son besoin de rattraper son retard était tel qu'on avait l'impression qu'il avait manqué quelque chose de vital pendant des années. Cela me dépassait : Heinrich construisait avec un réel plaisir ses rectangles, ses triangles et ses trapèzes, se réjouissant de ses dessins. Il pouvait désormais se passer de mon aide. Le Français était très fier de lui.

Un jour, après le cours de sport, Uwe et Schmackes trouvèrent dans leurs livres d'anglais un petit papier avec un tampon de grenouille dessus. Date, lieu, heure : ces mots aussi avaient été tamponnés, mais en rouge. Et, inscrit au stylobille : 20 septembre — ancienne station-service de Gomman — 18 heures. Uwe et Schmackes étaient fous de joie et très impatients. Ils étaient les élus ! On les avait considérés comme dignes de cet honneur.

Et Heinrich ? Et moi ?

Heinrich, comme d'habitude, ne laissa rien paraître de ses émotions ; il avait l'air de trouver notre bavardage excité plutôt barbant. Si les Grenouilles lui voulaient quelque chose, elles n'avaient qu'à le faire savoir, sinon — eh bien, tant pis ! Mais moi, je me sentais profondément humilié. Uwe et Schmackes m'avaient été préférés. Je me souviens avoir pensé alors : « Si j'étais japonais, je me ferais hara-kiri. »

Dans la classe, les élèves commençaient à faire des messes basses. Ils sentaient bien qu'il se passait pas mal de choses excitantes autour de nous. Ils perçurent la joie d'Uwe et de Schmackes, ma déception et l'indifférence exagérée de Heinrich. Évidemment, ils voulurent savoir ce qui se tramait. On nous questionnait, on nous flattait, on essayait de deviner, mais nous restions muets. Question d'honneur.

Un jour, Sanne nous entraîna, Heinrich et moi, derrière les rayonnages de la bibliothèque de l'école.

— Il y a un message de mon frère ! Pas de panique !

— Tu ne pourrais pas être plus claire ? Je sais que je suis bête, mais je comprends quand on m'explique, ronchonnai-je.

Heinrich me donna un coup dans les côtes.

— Hennes, tu es obligé d'être aussi agressif ?

Sanne reprit d'un ton moqueur :

— D'accord, je recommence pour les imbéciles. Mon frère pense qu'ils vous testent par groupes de deux. D'abord Schmackes et Uwe, ensuite vous deux. En équipe, quoi. Donc, pas besoin de t'agiter comme ça, Hennes. C'est bientôt votre tour. Mais je n'ai rien dit, d'accord ?

Nous acquiesçâmes d'un hochement de tête.

Puis le grand moment arriva pour Uwe et Schmackes. Je sentais mon assurance diminuer de jour en jour en les entendant parler de leurs exploits. Ceux qui les mettaient à l'épreuve ne les ménageaient pas ! J'eus soudain peur d'échouer. Je ressentis de nouveau cette envie irrépressible de tomber gravement malade, de me cacher au fond de mon lit pour repenser calmement à tout cela. Je voulais simplement gagner du temps. En fait, sans réussir à me le formuler clairement, je me demandais si j'avais vraiment envie de devenir une Grenouille.

Pour commencer, Uwe et Schmackes durent courir un cent mètres. Cela n'aurait rien eu d'extraordinaire, si la course n'avait pas eu lieu pieds nus dans le champ d'orties derrière la nouvelle zone pavillonnaire.

— On devait faire moins de quinze secondes !

Schmackes était rayonnant.

— Vous imaginez un peu ! ajouta-t-il.

La question de Heinrich était superflue, mais il demanda quand même d'un air innocent :

— Et alors ? Vous avez réussi ?

Bien sûr qu'ils avaient réussi. Ils n'en auraient pas parlé, sinon. Ils avaient également osé grimper sur la statue de Bismarck devant la mairie et pisser de là-haut sur le pavé malgré la présence d'un policier dans les parages. Ils avaient cassé l'ampoule d'un lampadaire au bout de la troisième pierre, tiré la sonnette d'alarme dans le tramway avant de détaler, dégonflé les pneus de quatre voitures. Dans le port, ils étaient également montés sur une grue et s'étaient suspendus à bout de bras du haut de la machine avant de se laisser tomber de huit mètres de haut dans l'eau sale.

— Si vous croyez que c'est tout, vous êtes mal renseignés. Ce n'était que le début du test !

Oui, Schmackes était radieux.

Uwe roula des mécaniques.

— La vache ! On avait une de ces pêches ! On y arrivera. Combien vous pariez ?

— Bousiller des lampadaires !

Heinrich fit une mine dégoûtée.

— Vous pouvez me dire ce que ça signifie, ces conneries ?

Je ne comprenais pas où Heinrich voulait en venir. Pourquoi cette question ridicule ?

— On veut en faire partie, eh, Charlot !

Uwe donna une tape dans le dos de Heinrich.

— En faire partie ! Tu ne piges pas ? C'est comme une décoration, comme une médaille !

— Une médaille ? Tu parles sérieusement ?

Heinrich se tordait de rire.

— Tu sais quoi ? Je me fous des médailles ! Il n'y a rien de plus débile. Mon grand-père a reçu une fois une décoration au carnaval. Ah ! Il en était fier !

— Mais on gagne la considération des gens ! protesta Schmackes avec emportement.

Comment Heinrich pouvait-il se moquer de leurs exploits ?

— Personne n'ose te toucher si tu fais partie des Grenouilles. C'est génial, Heinrich !

— Oui, c'est ça, rétorqua ce dernier, ironique. Incroyablement génial. On vous décerne aussi un diplôme, à la fin ? Avec des lettres dorées ?

Non et non, je n'arrivais pas à suivre Heinrich à ce moment-là. C'était quand même quelque chose d'être dans le camp des forts, de faire peur aux autres, d'être un élu, d'avoir plein de copains, de ne pas être tenu à l'écart, de vivre des aventures excitantes ! Cela vous rendait fort !

Je sais aujourd'hui que Heinrich avait posé une question importante : « Vous pouvez me dire ce que ça signifie, ces conneries ? »

À l'époque, j'étais totalement dérouté par son comportement. En plus, j'étais troublé de savoir que Heinrich habitait cette mystérieuse maison rouge où vivaient de jeunes criminels. Était-ce pour cela qu'il réagissait si étrangement à l'enthousiasme d'Uwe et de Schmackes ? En dépit de mon appréhension, je souhaitais vivement que nous soyons bientôt mis à l'épreuve, et par-dessus tout que mon tour arrive enfin !

CHAPITRE IX

SAUTE, JE TE DIS !

Peut-être qu'une attente aussi fiévreuse finit par vous rendre malade, mais je voulais et j'avais la force de vivre avec cette maladie. La valse des sentiments : j'avais le désir secret de me dérober à cette épreuve, tout en ressentant le besoin de montrer aux autres ce dont j'étais capable.

C'était un lundi. Je n'oublierai jamais ce jour. Une fille de sixième vint nous trouver et nous apporta un message sur une feuille tamponnée. La fillette dit qu'on l'avait chargée de transmettre ce papier et voulut savoir si nous étions bien Hennes et Heinrich.

— Oui, c'est nous ! m'écriai-je en riant.

J'eus une heure de colle pour avoir perturbé le cours d'histoire en parlant sans arrêt à Heinrich. Je voulais lui communiquer mon enthousiasme.

Pourquoi n'était-il pas aussi content que moi ? Était-ce qu'il ne voulait pas montrer son excitation ? Silence d'Indien. Il plia le message et le fourra dans son sac de marin.

Nous devions être à trois heures à l'échangeur de l'autoroute, à l'endroit précis où les bennes pleines de mâchefer, qui vont de la fonderie à la cour de l'usine pour se déverser dans les wagons des chemins de fer, traversent la route. Pourquoi justement là-bas ? Il n'y avait que des voitures, rien d'autre !

— Tu viens, Heinrich ? Hein, c'est sûr ?

— Évidemment que je viens, Hennes. Je trouve ça débile, mais je ne te laisse pas tomber. Tu le sais. Mais il faut que tu m'expliques comment y aller, je ne connais pas ce coin.

— On n'a qu'à y aller ensemble, dis-je aussitôt.

Le sentir à côté de moi me donnerait du courage.

— On se retrouve place Friedrich-Ebert, devant les pissotières. À deux heures et demie. D'accord ?

— D'accord. Mais j'aurai peut-être deux, trois minutes de retard. Je dois aider ma mère à faire la vaisselle aujourd'hui. C'est mon tour.

Pourquoi inventait-il de pareilles salades ? Était-ce une nouvelle manœuvre de diversion, une tentative pour me tromper ? Aider sa mère à faire la vaisselle ! Eh, Heinrich, mon pote, je suis au courant ! Non, même à cet instant, je ne dis rien, et cachai ma gêne en hochant la tête d'un air compréhensif. D'ailleurs, il n'y avait plus rien à dire ; les choses devenaient sérieuses.

Une fois de plus je ne pus avaler quoi que soit au déjeuner. Je ne me souviens même plus de ce qu'il y avait à manger. Sans doute quelque chose de bon, car mes sœurs avaient un sacré coup de fourchette ce jour-là.

— Notre cher petit frère est malheureux en amour ! rigola Bettina. Allez, qui c'est ? Steffi Graf ? Dans ce cas, tu ferais mieux d'oublier. Elle n'aime que les balles de tennis.

— Amoureux, tu parles !

Je louchai et retroussai les lèvres.

— Ce que tu peux être vieux jeu ! Je ne serai jamais amoureux. Je ne m'appelle pas Gerda !

Ma sœur aînée rougit, alors Bettina commença à la titiller. Tant mieux ! Tant qu'elles étaient occupées à se chamailler, elles me laissaient tranquille. D'ailleurs je ne les écoutais plus et saisis la première occasion pour me glisser ni vu ni connu hors de la maison. En aucun cas je ne devais mettre en danger mes projets de l'après-midi — or ce jour-là, c'était mon tour de passer l'aspirateur et de ranger.

114

Les trente secondes de retard de Heinrich me parurent durer une éternité. Mais ce retard ne comptait pas. Moi qui m'étais fait du souci ! Heinrich croquait avec appétit une belle grosse pomme. « Au moins, on leur donne des vitamines, en tôle », pensai-je.

Au diable ces pensées ! Nous devions nous concentrer sur l'épreuve qui nous attendait. Ils ne nous donneraient sûrement pas les mêmes tâches à accomplir qu'à Schmackes et Uwe. Mais qu'avaient-ils bien pu nous concocter ? Ce ne serait certainement pas un jeu d'enfant.

— Comment tu te sens ? lui demandai-je.

— Je ne sais pas. Ça peut aller.

— Tu as la trouille ?

— Si je disais que je n'ai pas la trouille, je mentirais. On ne sait pas ce qu'ils comptent nous faire faire. S'ils ont pensé à une vraie saloperie…

— C'est bizarre, dis-je, subitement ragaillardi. Très bizarre. Je n'aurais jamais cru que tu pouvais avoir les pétoches. J'ai toujours pensé que tu étais incroyablement courageux.

— Tu me fais marrer ! Avoir les pétoches, ça n'empêche pas d'être courageux ! Si tu n'as pas peur, tu ne peux pas être courageux. C'est logique, non ? Le courage, c'est faire ce qu'on veut, même si on tremble de peur. On est vraiment obligés de discuter de ça maintenant ?

Alors nous parlâmes de voitures électriques, des frères de Cordula, de football. Nous nous disputâmes pour savoir qui de Yamaha, de Honda ou de Kawasaki faisait les meilleures motos. Nous passâmes en revue les séries télévisées et distribuâmes des notes à nos professeurs. Nous parlions pour ne pas penser à ce qui nous attendait.

Un peu plus tard, nous nous retrouvâmes sous l'échangeur, en dessous des câbles qui acheminaient les bennes : celles qui étaient pleines allaient de droite à gauche, les vides de gauche à droite. Nous attendîmes sur le bord de la voie rapide.

Soudain je les aperçus ! Ils se tenaient de l'autre côté du haut grillage qui nous séparait de la fonderie. Comme nous étions en train de regarder les bennes, nous ne les avions pas vus arriver. Comment aurait-on pu entendre quoi que soit d'ailleurs, avec le vacarme épouvantable des voitures !

Ils étaient venus à trois : le type à la barbiche, un gros en pantalon et veste en jean cloutée jusqu'au cou, et un maigre avec des lunettes-miroir, qui portait un costume de safari. Sans aucun doute, le gars aux lunettes noires était le chef. Il s'y croyait ! Pourquoi ne voulait-il pas montrer ses yeux ? J'éprouvai une légère déception : je

116

m'étais attendu à des types durs comme l'acier, pas à des frimeurs pareils.

— Allez, venez de ce côté ! ordonna le type aux lunettes.

Était-ce la première épreuve ?

Le grillage mesurait bien cinq mètres de haut. Au-dessus de ce treillis aux mailles fines, dans lequel il était difficile de caler le bout d'une chaussure, passaient trois fils de fer barbelés. Je sautai bien trop vite sur le grillage et fus rejeté en arrière. Je tombai par terre tandis que Heinrich se balançait déjà tout en haut. « Surtout ne pas s'énerver ! me dis-je. Ce n'est pas le moment de craquer. »

C'est presque sans regarder que je grimpai jusqu'en haut, m'arrachant les ongles, me coupant le bras sur un piquant du barbelé et déchirant ma chemise. Mais je réussis. À bout de souffle, j'atterris à côté de Heinrich. Les types de la commission de l'épreuve ricanaient tous de la même façon, comme s'ils s'étaient entraînés. Des grimaces sur leurs trois visages. Se moquaient-ils ? Probablement. J'étais néanmoins soulagé d'avoir franchi le grillage.

— On peut s'épargner les questions personnelles, dit le type aux lunettes. Vos deux collègues ont déjà résolu le problème.

Comment cela ? De quel genre de questions s'agissait-il ? Qu'est-ce que cela signifiait que Schmackes et Uwe aient résolu le problème ? Pourquoi ne nous avoir rien dit ? J'étais troublé, mais m'efforçai de chasser le désarroi qui envahissait mon esprit. Cela n'avait plus d'importance à présent. La seule chose qui comptait, c'est que Heinrich et moi réussissions le test. À l'idée que je pouvais échouer, je sentis la sueur perler sur mon front. Ou était-ce dû à l'effort que je venais de faire ?

— Elles sont belles, ces petites bennes, non ? demanda le maigre aux lunettes.

Je ne voyais pas ce qu'un wagonnet basculant pouvait avoir de beau !

— Je parie que ça fait longtemps que vous avez envie de traverser la route dans une de ces bennes. Cet ardent désir sera enfin exaucé aujourd'hui. Ça ne vous fait pas plaisir ? ajouta-t-il avec un rictus mauvais.

J'étais terrorisé. Ce n'était pas possible ! Les wagonnets passaient à plus de dix mètres au-dessus de la route, ils étaient à peine deux fois plus grands qu'un landau et pleins de mâchefer. Bien sûr, il y avait des filets de sécurité en métal en dessous, pour empêcher que des morceaux ne tombent sur la chaussée. Mais si c'était moi qui tombais : jamais ce petit filet de protection n'arrê-

terait ma chute ! Et puis ce balancement là-haut
et les voitures qui passaient à toute allure… Je
m'imaginai, accroupi et minuscule dans un de
ces chariots chargés, cramponné à la barre : là-
haut, me balançant, me balançant, me balançant.
Moi qui n'osais pas monter sur la grande roue à la
foire parce que j'avais tout de suite mal au cœur !
Et maintenant ? J'avais terriblement peur.

— Et une fois de l'autre côté ?

La voix de Heinrich était inhabituellement
rauque, mais son visage d'Apache ne trahissait
pas la moindre trace de peur.

— Vous sautez par-dessus le wagon des chemins de fer, là où les bennes basculent pour se
décharger. Logique ! Il suffit d'attendre le bon
moment, sinon c'est dangereux.

Le type aux lunettes leva les yeux au ciel
d'un air désolé.

— Vous pouvez réfléchir, dit le gros. Vous
avez exactement une minute — c'est parti.

Il regarda sa montre et tendit son index,
comme un arbitre.

Si Heinrich n'avait pas été là, j'aurais re-
noncé, je le sais très bien. J'étais révolté. Pourquoi devions-nous surmonter une épreuve aussi
difficile alors qu'Uwe et Schmackes n'avaient eu
qu'à pisser du haut d'une statue et à sauter dans
l'eau du port ? Ce n'était pas juste.

— Bon, tu viens ! fit Heinrich en me donnant une bourrade.

Je montai la pente derrière lui. Au-dessus du talus, on pouvait attraper les bennes ; elles avançaient au pas dans un grand fracas, avant de survoler la route. Nous devions sauter dans un wagonnet à cet endroit-là, avant la pente abrupte, c'était évident. L'idée que je pourrais rester suspendu à un wagonnet, et traverser la route à cette hauteur me faisait remonter l'estomac dans la gorge. C'était une faible consolation de le savoir vide.

Les jambes en coton, je me tenais à côté de Heinrich. L'Apache essuya ses mains moites sur son pantalon. Je l'imitai. J'entendais les battements de mon cœur tambouriner à mes oreilles.

D'en bas, le type à la barbiche nous cria :

— Quand vous serez de l'autre côté, dépêchez-vous de sortir ! Les intrus sont mal vus dans l'enceinte de l'usine !

Quand vous serez de l'autre côté ! Si seulement nous pouvions déjà y être !

Soudain Heinrich sauta. Il bondit et s'agrippa au rebord d'un chariot. Celui-ci se balança un peu plus fort, puis retrouva vite sa position normale. Avant même d'atteindre la pente, Heinrich était assis à califourchon sur le tas de mâchefer : un Indien sur un mustang récalcitrant.

Une sorte de hardiesse furieuse s'empara de moi. Je laissai passer un, deux, trois wagonnets. Au quatrième, je sautai — enfin ! Mais je ne sautai pas assez haut ni avec assez de détermination ; mes doigts ne trouvèrent pas de prise, le wagonnet suivant me renversa et je tombai dans la boue.

« N'abandonne pas ! me hurla une voix intérieure. Relève-toi ! »

Le type à la barbiche me cria d'un ton moqueur :

— Rendez-vous dans un quart d'heure au stade ! Bon voyage !

Quelle folie ! J'allais passer une éternité sur ce wagonnet à me balancer au-dessus des voitures. Et lui, il me parlait d'un quart d'heure ? Rire de rage, rage de rire. Oui, et soudain, à bout de souffle, je me retrouvai cramponné à une benne qui me transportait irrémédiablement de l'autre côté.

« Ne pas regarder en bas, surtout ! » ne cessais-je de me répéter. Coller mon visage contre le mâchefer. Ne pas regarder en bas, ne pas tourner la tête, ne pas écouter, surtout pas le bruit des moteurs. J'aspirais l'odeur âcre du mâchefer en pensant au charbon, aux mineurs… Mais surtout pas à la route en bas !

Combien de mètres avais-je parcourus ? Combien m'en restait-il à faire ? Étais-je déjà au-dessus de la route ? Étaient-ce des camions, des semi-remorques ou des bus qui passaient au-dessous de moi ? Ou seulement des flots de voitures ? Ne pas penser à la route en bas ! Penser à autre chose !

Quel est le nom des trois meilleurs gardiens de but du monde ? Combien font vingt et une fois dix-huit ? Quelle est la capitale de la Bolivie ? À quoi peut ressembler la femme du Français ? Quel est le nom de la tribu indienne de Sitting Bull ? Quels sont les pays voisins du Brésil ?

Malgré cela, je sentais l'altitude. Perdre pied : sauter d'une tour sans fin ; gratte-ciel : se trouver sur le rebord d'une fenêtre au soixantième étage et se pencher sans se tenir ; belvédère : grimper sur le parapet et entendre les cris de frayeur des gens en bas — et puis tomber, tomber, tomber.

Je criais. Je me souviens parfaitement que je criais. Le vertige me paralysait. Tétanisé de terreur, je ne sentais plus mes muscles, ma vision se brouillait. Mais soudain j'entendis une autre voix. Et un bruit de ferraille assourdissant, celui du mâchefer qui tombait. La benne commença à s'incliner.

— Saute, Hennes ! Mais saute, je te dis !

J'étais incapable d'ouvrir les yeux et encore moins de bouger bras ou jambes. C'était comme si un puissant aimant, plus fort que moi, me paralysait. Le wagonnet s'était penché à quatre-vingt-dix degrés, le mâchefer commença à glisser sous moi. Les éclats pointus, figés après l'extraction du fer, me râpaient la peau.

— Hennes ! hurla Heinrich. Maintenant ! Saute !

Ce fut comme si je me réveillais en sursaut d'un profond sommeil. Tel un immense étonnement après une perte de connaissance : je repris conscience et me laissai tomber. Je m'étais attendu à une chute de trois ou quatre mètres de hauteur, mais à ma grande surprise je m'écrasai après une fraction de seconde. Ce fut douloureux. Le déferlement assourdissant du mâchefer me coupait le souffle. Heinrich me releva en me tirant violemment.

Je me laissai entraîner à sa suite. Quelle étrange sensation de sentir de nouveau la terre ferme sous ses pieds ! C'était comme après avoir fait du patin à glace pendant des heures.

— Quelle tête de mule de ne pas vouloir sauter !

Heinrich me secouait en riant.

— Je commençais à croire que tu voulais repartir avec la benne. C'était si bien que ça ?

123

— Arrête ! répondis-je, haletant. Laisse-moi vérifier si je n'ai pas fait dans mon pantalon.

— Il faut d'abord filer d'ici, me pressa Heinrich.

Moi aussi, j'avais remarqué qu'on nous avait repérés. Quatre hommes en bleus de travail couraient vers nous en brandissant des pelles. Mais nous fûmes plus rapides, et atteignîmes le portail avant eux. La sueur me brûlait les yeux, je toussais et crachais. Je mis du temps à retrouver mon souffle.

Heinrich secoua son pantalon pour en ôter la saleté et m'envoya un sourire tordu. Était-ce pour me donner du courage ?

CHAPITRE X

LE SERMENT ROMPU

« On abandonne ! » Je ne le dis pas, je le souhaitai seulement. Grenouille ou pas Grenouille : j'étais vidé. Mais je savais que Heinrich n'abandonnerait jamais ; car lui, ce qu'il craignait, c'était qu'on le prenne pour un lâche. D'où lui venait sa ténacité, d'où lui venait cette peur ? Je savais si peu de chose de mon ami Heinrich !

Je pensai aussi : « Le plus grand courage, c'est de supporter que les autres vous prennent pour un lâche, quand on en n'est pas un. » Tandis que je me dirigeais vers le stade avec Heinrich, les pensées se bousculaient dans ma tête. Par exemple, je me disais : « Si l'on oublie des types comme King Charly et ses cogneurs, pourquoi est-ce si important, finalement, de faire partie d'une bande quand on habite une grande ville ?

Que vaut en réalité cette impression de force parce qu'on est en groupe ? Pourquoi diable tant de gens aspirent-ils à devenir membres des Grenouilles, d'un club de football ou de motards ? »

Vaines pensées ! Les réponses à ces questions, je les connaissais depuis longtemps. On se sent très seul dans une ville grise de la Ruhr comme la nôtre, entre les mines, les usines et les rues sombres, si l'on ne fait pas partie d'un groupe soudé...

Mais l'était-on seulement, soudé ? Et que signifie ce mot : soudé ? Je ne connaissais que quelques Grenouilles, et de vue encore. Malgré cela, Heinrich et moi acceptions de faire ce qui leur passait par la tête, uniquement pour appartenir au groupe. Le cours de mes pensées fut interrompu.

— Regarde ! dit Heinrich. Ils sont venus en cortège, cette fois. Tu crois qu'ils vont nous faire passer entre deux rangs et nous taper dessus pour voir ce qu'on est capables d'endurer ?

Mais les jeunes s'étaient rassemblés pour une autre raison. Les Grenouilles et les Diables jaunes des quartiers sud de la ville se rencontraient pour un match de football. Le coup d'envoi n'avait pas encore été donné. Garçons et filles traînaient en sirotant des canettes de bière, s'interpellant, criant, s'amusant. Le gars aux lunettes, le gros et le type à la barbiche étaient les seuls qui s'intéressaient à nous.

— Vous vous êtes bien débrouillés, commença le type à la barbiche d'un ton protecteur. Comment vous avez réussi à sortir de l'usine ?

— Nous sommes rapides, dis-je.

Le type aux lunettes-miroir susurra :

— Pour compenser ça, vous allez faire quelque chose de très lent, maintenant. Ça vous va ?

Son ton de voix m'alerta. Des signaux d'alarme se mirent à clignoter dans ma tête. Sa question cachait sûrement quelque chose. Il ne l'avait pas posée sérieusement.

— De quoi s'agit-il ? demanda Heinrich.

Le maigre approcha son visage tout près de celui de Heinrich. La tête de mon ami se reflétait, ridiculement petite, dans les verres de ses lunettes. C'était terrifiant, comme un cadrage dans un film policier.

— Tu as de l'expérience dans certains domaines, non ?

— Je ne comprends pas, répondit Heinrich d'une voix soudain changée.

— Ne fais pas l'innocent ! Entrer dans les appartements, t'en mettre plein les poches, faire un tas de trucs tordus — tu vois ce que je veux dire.

— Tss… tss…, fit le type qui ne nous avait pas donné son nom.

Ses deux collègues fixaient Heinrich d'un air mauvais.

— On est entre nous, pas la peine de bluffer ; on est au courant !

La méchanceté se reflétait sur leurs visages.

— Je ne comprends toujours pas, dit Heinrich.

Son calme avait entièrement disparu. Ses mains tremblaient, la commissure de ses lèvres tressaillait. Une telle nervosité ne lui ressemblait pas.

— Un de tes copains nous a donné vos adresses. Il a parlé d'une maison rouge. C'est là que tu habites, non ? Il y a des gens très particuliers qui habitent cette maison, pas vrai ? Et toi, tu en fais partie… On sait très bien que tu es un dur à cuire. Eh oui, on se renseigne toujours sur la vie privée de nos candidats, ça fait partie de nos méthodes. On aime bien savoir à qui on a à faire.

« Dis quelque chose, Heinrich ! le suppliai-je intérieurement. Fais-lui bouffer ses saletés de remarques ! Il se moque de toi ! Ça lui plaît de te torturer ! »

Heinrich s'était ressaisi.

— D'accord, qu'est-ce qu'on doit faire ? On est là pour une épreuve d'admission ou pour tchatcher ?

— Je vous l'avais dit que ce gars était un dur à cuire.

Le gars aux lunettes claqua dans ses doigts et regarda la feuille que le type à la barbiche lui tendait.

— Où est-ce ? Ah oui ! Bon, la prochaine épreuve va vous prendre un peu de temps, mais c'est un boulot cent pour cent tranquille. Vous avez prévenu chez vous que vous rentrerez un peu tard ?

Cette ironie moqueuse !

Naturellement, je n'avais pas prévu qu'ils voudraient nous tester jusqu'à la nuit. Mais je ne fis pas le plaisir à ces ricaneurs de leur expliquer que j'allais avoir de sérieux ennuis.

— Je rentre quand je veux, lançai-je d'un ton condescendant en brandissant mon trousseau de clefs. Je ne suis plus un nourrisson.

Je me trouvais plutôt convaincant.

— Mes parents n'y voient pas d'inconvénient non plus, si je rentre un peu plus tard, affirma Heinrich en s'efforçant de rester impassible.

— Tes parents ? hurla le maigre aux lunettes. Vous avez entendu ? Ses parents n'y voient pas d'inconvénient. C'est fort, ça. Ses parents !

Il se tourna vers Heinrich et ajouta d'un air faussement cordial :

— Alors salue bien tes parents pour nous, hein ? Sans faute !

Heinrich avait blêmi.

— On peut enfin commencer ou vous aimez à ce point vous entendre parler ? Les équipes sont déjà sur le terrain. Vous voulez sûrement voir le match.

Je restai muet de stupeur, les lèvres comme soudées l'une à l'autre. Qui était le fils de chien qui... ? Uwe ? Schmackes ? Qui était le traître ? L'un d'eux avait trahi, avait rompu le serment. Et une chose était claire : Heinrich savait... que je savais de quoi parlait le type aux lunettes. Je sentais presque physiquement son regard méprisant d'Indien peser sur moi. Cela ne faisait aucun doute : Heinrich comprit immédiatement que je savais tout sur la maison rouge. Je ne parvenais pas à déchiffrer son regard ; bien sûr, son expression de mépris me sautait aux yeux, m'atteignant comme une volée de coups ; mais il y avait autre chose encore. De la haine ? De la tristesse ? Du dégoût ? J'étais incapable d'articuler le moindre mot.

Le gars aux lunettes nous indiqua une direction :

— Derrière vous. Le supermarché. Vous voyez ? Le bâtiment jaune.

— J'ai de la merde dans les yeux ou quoi ?

Heinrich croisa les bras sur sa poitrine.

— Bon, quel est le problème ?

Le gars aux lunettes montra de nouveau le bâtiment jaune.

— Ils adorent recevoir des visites. Surtout si deux petits calibres qui voudraient faire partie des Grenouilles se cachent dans le magasin et se laissent enfermer après la fermeture, à six heures et demie. J'ai été assez clair ? Et pour avoir un souvenir et comme preuve que vous vous êtes vraiment laissé enfermer, vous rapporterez une bouteille de whisky chacun. Mais pas un truc bon marché, compris ? On se retrouve à dix heures au dancing Boston. Des questions ?

Bien sûr que j'avais des questions. La plus importante était : comment ressortir de ce supermarché. James Bond monte toujours sur le toit, lui, et s'envole avec des fusées aux pieds. Mais Heinrich et moi, comment ferait-on ? Il n'y avait pas de fenêtres dans ce bâtiment et il était certainement impossible de sortir par les ouvertures du toit à cause du système d'alarme. Je posai donc la question.

— C'est votre problème ! gueula le gros.

Le type à la barbiche se montra plus compréhensif.

— Il y a toujours un vigile de la société de gardiennage qui vient à neuf heures et demie. Il fait un tour pour voir si tout est en ordre et met en route l'horloge de contrôle. Quand il rentre, vous sortez. Allez, magnez-vous maintenant !

Nous partîmes en courant. Les cris déchaînés des spectateurs du match nous parvenaient par vagues. Un coup de sifflet retentit, suivi de rires. Nous ne nous arrêtâmes pas. Le parking du supermarché était bondé comme toujours, les voitures garées côte à côte, alignées comme des soldats au garde-à-vous. Les gens venaient bravement dépenser leur argent, persuadés de faire des affaires parce que la moitié des panneaux indiquait des promotions.

Dans le magasin, des haut-parleurs dissimulés déversaient de la musique disco. La voix enjôleuse d'une femme susurrait entre deux morceaux :

— Vous souhaitez faire plaisir à votre famille ? Passez donc à notre rayon boucherie. Onze marks quatre-vingt-dix-huit le rôti de bœuf, prêt à cuire grâce à sa feuille d'aluminium. En accompagnement, choisissez notre cuvée qualité, une offre exceptionnelle ! Préparez à votre mari une soirée tranquille ! Pour les plus jeunes, nous recommandons…

Nous nous frayâmes un passage dans la foule des clients. Comment pouvait-on se cacher ici ? Ils vérifiaient sûrement partout avant de fermer. Malgré la peur qui me tenaillait, je pensais à des choses absurdes. Peut-être cela m'aidait-il à oublier mon sentiment de culpabilité : « On se déguise en bouteille de vin et on se met sur un rayon, ou bien on commence à puer et on se cache parmi les munsters… Bêtise ! Absurdité ! Maîtrise-toi ! »

Peut-être y avait-il un détective dans ce supermarché, qui nous avait repérés depuis longtemps parce qu'on traînait sans but précis et sans regarder les produits. Il nous restait surtout pas mal de temps à tuer avant la fermeture. Nous étions arrivés bien trop tôt dans le magasin.

Je regardai Heinrich ; les paroles sarcastiques du gars aux lunettes bourdonnaient dans ma tête : « Tu as de l'expérience dans certaines choses… »

Heinrich eut alors une bonne idée. Il m'entraîna vers la cafétéria, où il compta son argent avant de commander deux milk-shakes à la banane. Sans un mot, nous restâmes presque une heure à siroter cette bouillie collante. Si seulement Heinrich avait pu me dire quelque chose, n'importe quoi ! Si seulement il avait rompu le silence ! Moi je n'osais pas, je savais qu'il me méprisait.

Au bout d'un certain temps, quand l'un de nous parlait, c'était pour dire une banalité du genre :

— Tu vois la grosse là-bas ?

— Il fait chaud ici.

— Il y a même des mouches.

Alors qu'il était urgent de décider où nous allions nous cacher !

La cafétéria se vida peu à peu. Entre les rayons, les étalages et les congélateurs, les clients aussi se faisaient plus rares. Les haut-parleurs diffusaient une chanson qui me tapait sur le système : un chœur de la Croix-Rouge ou quelque chose dans ce genre.

— Rayon meubles, chuchota Heinrich.

Nous traversâmes de longs couloirs remplis de yaourts, de jeans, de crèmes, de pantoufles, de couches-culottes et de saucisses en boîte, direction les meubles. J'avais la sensation désagréable d'être observé. Heinrich, lui, regardait droit devant lui.

Seuls les rayons d'alimentation étaient encore animés. Les gens qui sortent tard du bureau se dépêchaient d'acheter à manger pour le dîner. Mais du côté des fauteuils en osier, des lampadaires et des tables de jardin, il n'y avait presque plus personne. Les vendeuses, lasses de leur journée, s'étaient assises et se massaient les jambes, les yeux dans le vague.

— Il faut qu'on entre dans une armoire ! murmura Heinrich.

Des tapis suspendus nous protégeaient des regards. Nous nous glissâmes à travers les cuisines, les bars et les chambres à coucher pour adolescents. Heinrich surveillait à gauche, moi à droite. Vite, maintenant !

Nous nous retrouvâmes accroupis, les genoux sous le menton, dans l'armoire imitation chêne en promotion, dont les jointures grinçaient et gémissaient sous notre poids. Je me mis à transpirer terriblement. Une odeur irritante de vernis me chatouillait le nez et me donnait des maux de tête. Surtout ne pas éternuer maintenant ! Le lointain brouhaha du magasin ne nous parvenait plus que de façon très atténuée. Dans l'obscurité totale, nous entendions notre respiration.

Le temps peut s'écouler avec une lenteur si atroce !

Mes jambes commençaient à s'ankyloser, j'avais des fourmis dans les muscles. L'envie de me gratter le dos sans pouvoir bouger me rendait presque fou ; la peur me suffoquait. Comme de très loin, j'entendis le gong qui annonçait la fermeture du magasin. Un haut-parleur bredouilla quelque chose. Nous entendîmes également des bruits de voix près de nous ; et plus tard, le sifflement des aspirateurs et d'une cireuse sur le parquet.

Puis un silence terrifiant s'installa.

Deux Indiens aux aguets : Crazy Horse et Big Eagle. Le feu de camp s'était éteint, il n'y avait plus que des cendres. Nous tendions l'oreille dans les ténèbres. Le cri de la chouette ne pouvait nous tromper. Nous distinguions parfaitement le bruit des échassiers et le bruissement des roseaux. Notre ouïe était fine. Nous, les guetteurs de hurons ! Non, ce n'était pas le jappement d'un coyote, l'odeur n'était pas celle des bêtes de la forêt. Des chevaux tout près ! Nos tomahawks étaient à portée de main.

Ah ! Comme je rêvais tout cela, le désirais, l'appelais de mes vœux ! Je m'en souviens très bien. Heinrich et moi, les vaillants Indiens : téméraires, forts, souples comme les serpents de la forêt nocturne. Nous deux, ivres d'aventure. Cela eût été magnifique ! Mais une ombre planait sur notre amitié.

C'est bien peu dire ! Il ne s'agissait pas que d'une ombre, c'était bien pire. Heinrich me méprisait de l'avoir espionné lâchement et d'avoir découvert son secret, la maison rouge. Je ne lui avais même pas avoué ma trahison. Aucune amitié ne résiste à cela. Non, nous n'étions pas deux Peaux-Rouges héroïques aux aguets, nous étions deux idiots accroupis dans une armoire en promotion d'un supermarché.

Heinrich poussa avec précaution la porte de l'armoire, qui grinça terriblement dans le silence oppressant.

— Viens, chuchota-t-il, il n'y a plus un chat dans le magasin !

Dans l'éclairage des veilleuses, l'enceinte semblait irréelle, comme un théâtre vide. Nous commençâmes par nous dégourdir bras et jambes et respirâmes un grand coup. Les aiguilles fluorescentes de la grosse horloge au-dessus de la sortie indiquaient presque neuf heures. Nous étions restés si longtemps accroupis dans cette armoire !

Nous nous faufilâmes sur la pointe des pieds vers la sortie, parmi les rayons et les présentoirs. J'avais du mal à réaliser que nous étions complètement seuls dans cet endroit habituellement grouillant de monde. Une idée me traversa l'esprit : « Et s'il y avait un veilleur de nuit ? » Mon cœur se mit à battre plus fort. Je fis part de ma crainte à Heinrich.

— Je ne crois pas, me répondit-il. S'ils avaient un veilleur de nuit, ils n'auraient pas besoin de faire venir quelqu'un de la société de gardiennage. Non ?

— Espérons que tu as raison !

Je découvris un choix impressionnant de marques de whisky. Black & White, Johnny Walker, Ballentine's, Cutty Sark… Les mains tremblantes, je saisis une bouteille au hasard. Pourquoi Heinrich n'en prenait-il pas ? Je lui donnai un petit coup de coude en lui montrant le stock de whisky, mais il se contenta de me jeter un regard moqueur en hochant la tête. Il y avait dans ses yeux un tel mépris ! J'avais du mal à comprendre. Cela faisait pourtant partie de notre épreuve !

— Je vais me procurer autre chose, dit-il.

Il partit en courant, et revint trente secondes plus tard, une serviette de bain à la main. Malgré le faible éclairage, je vis que la serviette-éponge bleue avait un motif à petites fleurs mauves. À mourir de rire !

— Ils t'ont passé un sacré savon, alors…

— Arrête tes conneries ! me coupa-t-il sèchement. Si le vigile vient maintenant, je lui jette la serviette sur la tête avant qu'il ne nous aperçoive. Il faut profiter de cette seconde de surprise. On se met juste à côté de la sortie. Là, regarde : la porte coulissante disparaît dans le mur quand on l'ouvre. Dès que la tête du type apparaît, hop ! je jette la serviette ! Et on se sauve avant la fermeture automatique de la porte.

— Pourvu que ça marche !

— Si on ne s'endort pas, ça marchera.

Mais tout se passa différemment !

Nous étions rivés aux aiguilles de la grosse horloge, tels des lapins hypnotisés par les yeux d'un serpent. J'avais du mal à avaler ma salive. Inutile de se parler pour se dire à quel point nous avions peur. J'aurais tant voulu être déjà dehors !

Nous entendîmes soudain un bruit de mobylette qui s'approchait. Bizarre que l'engin arrive si lentement ! Puis un cliquetis de clefs et un toussotement — et enfin un bruit qui me figea sur place, me rendant incapable de faire le moindre geste : le grondement menaçant d'un chien.

La porte s'ouvrit dans un bruit de ventouse. Le chien berger s'avança vers moi avec une lenteur atroce. Je crus reconnaître dans ses yeux la soif de tuer. La bouteille de whisky m'échappa des mains, tomba par terre, mais sans se briser. Je sentis le halètement rauque du chien. À travers mes paupières closes, j'entrevis ses dents ; je sentis le contact de son pelage sur mes jambes.

— Arrêtez ! cria l'homme. On ne bouge plus ! Pas un geste ! Qu'est-ce que vous faites ici ?

Heinrich ne disait rien. J'étais incapable d'articuler le moindre mot. D'ailleurs, qu'aurais-je pu dire ? La situation était claire.

— Tout doux, Wotan. Brave bête ! fit l'homme en flattant son chien de la main.

Le chien émit des petits jappements de plaisir. Puis son halètement se transforma en un grondement, très léger. Je m'attendais à ce qu'il nous saute dessus. J'étais déjà prêt à hurler de douleur.

— Pas un geste ! répéta l'homme. Wotan est bien dressé.

Puis il se remit à parler au chien.

— Bon chien ! Tu les surveilles ! C'est bien, Wotan, c'est bien.

Pourquoi m'étais-je attendu à trouver un vieux bonhomme ratatiné avec une grande moustache et des jambes tordues ? Le vigile était jeune, musclé, rapide. Oui, vraiment rapide ! Il sut immédiatement ce qu'il avait à faire. Ce n'était sans doute pas la première fois qu'il mettait la main sur des voleurs de cette façon-là. Lorsqu'il releva un peu sa casquette, je décelai une joie maligne sur son visage. « Peut-être qu'il reçoit une grosse prime pour chaque capture », pensai-je.

— Fais bien attention ! cria l'homme à son chien avant de se diriger d'un pas décidé vers l'armoire électrique, à côté de laquelle se trouvait un téléphone. Je l'entendis parler très vite.

Mais je ne compris pas ce qu'il disait, j'étais comme paralysé. Je savais seulement qu'un chien montait la garde, prêt à me sauter dessus au moindre geste. Néanmoins, je remarquai que la porte coulissante ne s'était pas refermée, contrairement aux prévisions de Heinrich. Derrière elle, il n'y avait que le sas en verre, qui s'ouvrait sans doute facilement. Et moi qui restais là comme pétrifié, incapable de bouger le petit doigt !

Mais qu'en était-il de Heinrich ?

Quand je retrouvai mes esprits, ma première pensée fut pour lui. N'étions-nous pas responsables, Uwe, Schmackes et moi, de la terrible situation dans laquelle il se trouvait ? C'est nous qui l'avions entraîné dans cette histoire de Grenouilles.

La maison rouge où habitent les jeunes criminels…

Que se passerait-il si on l'arrêtait maintenant ? Que ferait-on de lui ?

— Heinrich ! chuchotai-je les lèvres figées par la peur. Essaie de filer ! Sors tout doucement par la porte ! Tout doucement ! Le chien ne peut surveiller qu'une personne à la fois.

— Je reste avec toi, répondit-il. Je ne suis pas un lâche.

Encore une fois ce mot !

— Heinrich… repris-je.

Mais en regardant son visage d'Apache, je compris qu'il était inutile de continuer. Souverain et sûr de lui, avec un soupçon de raillerie, Heinrich me rendit mon regard.

Apparemment le chien ne supportait pas que je parle ou il était dressé pour faire taire les intrus. Son grognement se fit plus agressif. L'homme revint en se frottant les mains.

— Vous vous êtes mis dans de beaux draps, espèces de voyous, dit l'homme.

Il parlait avec la même précision rapide.

— La police ne va pas tarder.

Soudain je compris la manœuvre des Grenouilles : ils nous avaient tendu un piège. Ils savaient forcément que le vigile avait un chien. Ils nous avaient joué un très vilain tour. Ils avaient dû penser : « Il y a un délinquant parmi eux, un gars qui a déjà été condamné, alors qu'importe — un type comme ça, on s'en fiche ! Qu'il se fasse piéger. Ça va être marrant quand la police lui mettra la main dessus. »

— Heinrich, je… articulai-je.

— Ferme-la ! cria l'homme.

— Laisse… dit Heinrich.

Nous entendîmes alors la voiture de police.

CHAPITRE XI

UN ÉTÉ INDIEN PLUVIEUX

Je n'oublierai jamais cette soirée cauchemardesque. J'en revois les images très précisément. D'abord, l'interrogatoire au commissariat.

— Alors pourquoi ? Avez-vous déjà fait ce genre de choses ? Que comptiez-vous voler ? Qui sont les receleurs ? Quel est le nom de leur chef ? Inutile de mentir ! De toute façon, nous saurons le fin mot de l'histoire. Bon, on reprend du début...

Un magnétophone nous enregistrait, une machine à écrire cliquetait, deux brigadiers ricanaient.

Je bredouillais des phrases incohérentes, incapable de me concentrer correctement. Je lâchai les mots « épreuve », « courage », « blague » et « pari ». Non, nous ne connaissions pas les noms de ceux avec lesquels nous avions soi-disant parié. Nous ne les connaissions vraiment pas ! Et je ne dis pas que nous étions tombés dans le piège des Grenouilles. Qui, dans cette ville, voudrait se les mettre à dos ?

— Et la bouteille de whisky, c'est une épreuve aussi ou quoi ? Vous comptiez la boire vous-même ou la vendre ? demanda le plus âgé des policiers avant de mordre dans un hot-dog.

Puis il continua la bouche pleine :

— Vous vouliez peut-être vous en servir pour assommer le vigile ? Bon, on reprend du début.

Heinrich ne disait pas un mot.

Mes parents arrivèrent un peu plus tard, furieux et bouleversés tous les deux, gênés et tristes aussi, surtout ma mère. Je me sentais fatigué et désemparé. Des bribes de phrases résonnaient à mes oreilles : « Blagues idiotes de gamins, idées débiles… Jouer les durs devant les filles ! Une bonne raclée… » J'entendis également les mots « porter plainte ».

Au fond du bureau, un jeune homme en costume de velours brun apparut et parla à voix basse à l'un des policiers. Il signa un formulaire. Les fonctionnaires semblaient le connaître. Puis le jeune homme prit Heinrich par le bras. Heinrich me lança un regard furtif avant de quitter le commissariat. Ses yeux d'Indien ne trahissaient aucun sentiment, aucune pensée. Il avait gardé les mains dans les poches. Ce détail m'avait frappé.

À la maison, mes parents m'accablèrent de reproches. Ma mère pleurait, mon père jura et se saoula. Mes sœurs intriguées chuchotaient entre elles et me lançaient des regards méprisants. Puis ce fut le silence.

Durant la longue nuit sans sommeil que je passai à me tourner et me retourner dans mon lit, je pensai sans arrêt à Heinrich. Qu'adviendrait-il de lui ? Non, je ne m'apitoyais pas sur mon sort. C'est Heinrich qui me faisait de la peine. Si au moins il m'avait fait des reproches !

Le lendemain je me rendis à l'école la tête basse, comme un chien battu. Cela m'aurait été égal que Göhrke le catcheur me guette avec ses affreuses minettes. J'attendis à l'entrée du souterrain, mais Heinrich ne parut pas. Je souhaitais avec ardeur qu'il arrive. « Allez, viens donc ! suppliai-je. Rejoins-moi ! » Mais il ne vint pas. Avais-je vraiment espéré qu'il vienne ?

Schmackes se trouva soudain devant moi.

— Comment c'était hier, Hennes ?

Puis j'entendis la voix criarde d'Uwe :

— Vous avez réussi ? Vous avez surmonté l'épreuve ? Allez, raconte !

— Pourquoi es-tu si pâle ? me demanda Cordula.

— Pourquoi Heinrich n'est pas là ? enchaîna Sanne.

Je leur criai :

— Vous savez où vous pouvez vous les mettre, vos questions ?

Uwe n'y tenait plus.

— Ils n'ont pas réussi ! Ils n'ont pas réussi ! Ils n'ont pas réussi !

Pourquoi Schmackes et Uwe, ces traîtres, ne disparaissaient-ils pas de ma vue ?

En principe, nous avions mathématiques en première heure, mais c'est Mme Preissler, la secrétaire, qui vint à la place du Français. Je me doutais de ce que cela signifiait.

Schmackes me souffla à l'oreille :

— Sérieusement, vous vous êtes débinés ?

Je n'eus pas le temps de lui dire qu'il était le plus répugnant imbécile de toute la galaxie, car la Preissler s'approcha de moi ; elle me regarda d'un drôle d'air et me dit d'aller vite dans le bureau du directeur.

Ils étaient donc déjà au courant !

« Filer ! » me dis-je en descendant lentement l'escalier. Tout simplement m'enfuir et disparaître — n'importe où.

Puis je pensai à Heinrich. Seuls les lâches prennent la fuite. Jamais Heinrich ne s'enfuirait, lui. Alors je décidai de rester.

M. Spölten, le directeur, était assis derrière son bureau. Le Français s'appuyait contre le radiateur. Ils me regardèrent entrer dans la pièce sans rien dire. Puis le directeur me désigna une chaise en face de lui. Je m'assis après une seconde d'hésitation.

— Vous vous êtes bien débrouillés, mes félicitations ! dit le directeur.

Le Français se frottait le menton.

— Heinrich ne viendra plus dans notre école, dit-il à voix basse. Une fois de plus il va changer de ville. Il va être mis dans un foyer. Il doit encore une fois faire ses bagages, le pauvre garçon. Il est ballotté d'une région à une autre, sans jamais pouvoir s'installer. Il se sentait bien dans notre ville, pourtant. J'espère que vous êtes fiers de votre exploit. Vous n'avez vraiment rien dans le crâne ! Exactement ! Rien dans le crâne.

Le directeur laissa lourdement retomber sa main sur le bureau, si bien que le porte-plume se mit à vibrer.

— Est-ce que vous êtes conscients des ennuis que vous avez causés à ce garçon ?... Ce n'est pas croyable !

— Heinrich se plaisait dans cette ville, ajouta le Français. Beaucoup, même, je crois. Il s'était fait de bons camarades.

— Mais la maison rouge ! lançai-je. C'est une maison pour...

— Pour ?

M. Spölten sortit une cigarette de son étui en cuir.

— Je suis curieux d'entendre ça.

— C'est une maison pour... Je veux dire, ceux qui y habitent — enfin, ils ont déjà fait des trucs... Ce sont des jeunes qui ont déjà eu à faire à la police...

Ce que je pouvais me sentir mal !

— Qui t'a raconté ces bêtises ? demanda le Français abasourdi.

— Les gens. Ils nous ont...

— Les gens ! répéta le directeur d'une voix doucereuse. C'est extraordinaire ! Des gens vous racontent n'importe quoi et vous les croyez. Vous êtes donc complètement idiots ?

Le Français demanda :

— Et Heinrich, qu'est-ce qu'il vous a dit sur cette maison ?

Je devais être cramoisi de honte.

— Nous n'en avons pas parlé avec lui. Il n'y tenait pas, je crois. Mais nous l'avons suivi un jour. C'est là que nous avons vu la maison.

— Suivi ?

Le Français eut un sourire amer.

— Moi qui croyais que vous étiez amis, Heinrich et toi.

148

— Les prisons pour enfants, cela n'existe pas, grogna le directeur. Heinrich vit dans un foyer parce qu'il n'a pas de vrai chez-soi. Il a eu une vie très dure. Et vous lui compliquez encore l'existence. Ce n'est pas croyable !

Le Français se mit alors à parler très calmement.

— Heinrich n'a jamais connu son père et on a retiré la garde à sa mère parce qu'elle ne s'occupait pas assez de son enfant. L'amour de ses parents, une famille, la chaleur d'une vraie maison : Heinrich n'a jamais connu cela. Il y a deux ans, il a commencé à se joindre à une bande. Il voulait simplement faire partie de quelque chose, ne pas être seul, avoir des amis. Malheureusement ces amis n'étaient pas de bons mais de mauvais, très mauvais amis. Les gars les plus âgés envoyaient les plus jeunes de la bande commettre des larcins, en leur disant qu'ils étaient des lâches s'ils n'osaient pas.

Ce mot ! Heinrich ne voulait pas être un lâche. Il ne supportait pas ce mot. C'était comme une idée fixe chez lui. Nous avions vu comme il s'était mis en colère quand Schmackes l'avait traité de lâche. En écoutant le Français, je commençais à comprendre.

Le directeur alluma enfin sa cigarette.

— C'est un projet mené par des éducateurs. Vivre en communauté, en petits groupes, pour changer des grands foyers anonymes. Malheureusement, pour Heinrich, l'expérience est terminée. C'est comme ça.

— Mais pourquoi ? m'écriai-je en bondissant de ma chaise.

— Ils craignent que Heinrich se lie de nouveau à des gens qui pourraient avoir une mauvaise influence sur lui, m'expliqua le Français. Des gens qui risquent la vie des autres en organisant des séances de gymnastique sur des wagonnets suspendus ou qui incitent les jeunes à s'enfermer dans des supermarchés pour voler de l'alcool, par exemple.

J'aurais voulu hurler, mais j'avais la gorge trop serrée pour parler. Je sentais à quel point j'avais l'air idiot, incapable de dire quoi que ce soit pour me justifier. On ne lui voulait pas de mal, pourtant !

Dans le couloir, le Français promit de me donner la nouvelle adresse de Heinrich. Quand il vit que je pleurais, il posa la main sur mon épaule :

— Tu peux rentrer chez toi pour aujourd'hui, si tu veux.

Je ne le voulais pas. Seuls les lâches prennent la fuite.

Au bout de deux ou trois semaines, presque plus personne ne parlait de Heinrich. Je l'ai déjà dit, il y avait un va-et-vient permanent dans notre école. Les uns arrivaient, d'autres partaient. Uwe et Schmackes sont devenus des Grenouilles. Tant mieux pour eux !

Ce fut un long automne ensoleillé. Un véritable été indien. Mais j'aurais voulu qu'il pleuve. Je n'avais plus envie qu'il fasse beau. En moi, il ne cessait de pleuvoir.

Un soir, je montai en haut du terril et détruisis tout dans la grotte. Je jetai le verre avec le sang séché en bas de la colline. Il se brisa sur les rails. J'agrandis le trou d'entrée pour que tout le monde puisse le voir. Ce n'était plus notre grotte. Le charme était rompu. Le rêve était fini.

J'écrivis une lettre à Heinrich. Il vivait près de Bonn, à présent. Il dut recevoir la lettre, sinon on me l'aurait retournée avec la mention : « n'habite pas à l'adresse indiquée ». Mais je n'obtins pas de réponse. Pendant des semaines, je demandais en rentrant de l'école :

— Il y a du courrier pour moi ?

Puis je cessai de poser la question.

Les Indiens ne communiquent peut-être entre eux que par des signaux de fumée ? Mais comment aurais-je pu reconnaître son message dans l'épais brouillard qui stagnait sur notre grande ville ?

Les années ont passé depuis. Non, je n'attends plus de lettre de Heinrich. Mais je garde l'espoir qu'un jour nous nous reverrons. Peut-être fumerons-nous alors le calumet de la paix.

TABLE DES MATIÈRES

POLICIER
pour les mordus de suspense

Train d'enfer
Michel Amelin

7 h 05 : Anne-Sophie s'apprête tranquillement à partir en Allemagne pour un séjour linguistique. 7 h 08 : Son père lui remet une disquette informatique. 7 h 19 : Anne-Sophie, cachée sous son lit, assiste à l'enlèvement brutal de son père. 7 h 27 : Il ne lui reste que quelques heures pour accomplir la mission qu'il lui a confiée...

Les collégiens mènent l'enquête
Chrystine Brouillet

Alexandra, jeune Québécoise, vient d'arriver en France. À l'école, elle rencontre Antoine, Gabriel et Too-Hi-Li. Il se passe des choses étranges autour d'eux et le professeur de chimie a un comportement vraiment bizarre. Intrigués, les quatre amis décident de l'espionner.

Gare au carnage, Amédée Petipotage !
Jean-Loup Craipeau

Je m'appelle Amédée Petipotage. Un nom à coucher dehors. Pourtant, moi, j'habite chez mes parents. C'est Clodo, mon copain, qui dort dehors, à la belle étoile. Son dîner, il le cherche dans les poubelles. Et c'est comme cela que tout a commencé.

La vallée de la peur
Arthur Conan Doyle

Un crime mystérieux à Birlstone, une énigme de plus à résoudre pour le maître des détectives : le fameux Sherlock Holmes, accompagné de son fidèle Watson. Une enquête qui va les mener jusque dans la lointaine Amérique, sur les traces du roi du crime, le professeur Moriarty.

Ana Laura Tango
Joachim Friedrich

Ana Laura est sûre d'avoir reconnu son père dans un taxi. Mais celui-ci est mort il y a tout juste deux ans. Serait-elle devenue folle ? Ana Laura n'a plus qu'une idée en tête : découvrir qui est cet homme. En menant son enquête, elle lève le voile sur un secret de famille dont la clé est liée à l'Argentine et au mot « tango ».

Six colonnes à la une
Pierre Gamarra

Toute la rédaction du quotidien Le Cri du Languedoc *est en effervescence : des incendies en série mettent la ville de Toulouse en émoi. Accident ou geste criminel ? Personne ne le sait encore. Benoît Vallier, jeune journaliste plein de talent, mène sa propre enquête à partir d'une mystérieuse valise trouvée dans un village voisin...*

Cinq crimes en eaux troubles
Alfred Hitchcock présente

Un tueur à gages bourré de tics embarqué sur un cargo, un homme coincé sous une poutrelle attendant du secours pendant que la marée monte, un vieillard pris en otage par des braqueurs dans une péniche au milieu des marais... Voici quelques-uns des personnages que vous croiserez au bord de l'eau, dans ce livre où l'on patauge entre crime et angoisse.

Paolo Solo
Thierry Jonquet

Grelottant de froid, Paolo, le petit Brésilien, erre dans Paris, seul, sans papiers, sans argent. Comment a-t-il atterri si loin de son pays ? Pourquoi Kurt la crapule et sa complice Mélissa sont-ils à ses trousses ? Et quel terrible secret l'empêche donc de se réfugier auprès de la police ?

Rasmus et le vagabond
Astrid Lindgren

Rasmus est malheureux à l'orphelinat, lui qui ne rêve que de liberté. Par un beau jour d'été, il décide de se sauver pour aller découvrir le monde et se chercher des parents. En chemin, il rencontre Oscar le vagabond, un merveilleux compagnon. La vie serait idéale si les gendarmes ne les prenaient pas pour des voleurs...

La cavale
Walter Macken

Pour échapper à la brutalité de leur tuteur, deux enfants traversent l'Irlande dans l'espoir de rejoindre leur grand-mère. Ils font la une des journaux, sont poursuivis par la police et ne devront leur survie qu'à leur courage et leur ténacité. Parviendront-ils à retrouver un vrai foyer ?

Le cri du livre
Carole Martinez

Noé est dans une colère noire : bien qu'il ait treize ans, ses parents l'ont jugé trop jeune pour partir en vacances avec ses copains. Dépité, il s'enferme dans sa chambre, puis braque son télescope sur le village. Il observe l'arrivée d'une petite Parisienne dont le regard se fige tout à coup : un crime se déroule sous leurs yeux...

Jalouve
Éric Sanvoisin

Margot a un sacré caractère et un grand amour : Fabrice. Elle ne supporte pas l'idée que ce dernier puisse avoir une vie en dehors de la sienne. Jalouse comme une louve, elle s'enferre dans un plan machiavélique : elle demande à sa meilleure amie de séduire Fabrice. Et pour le surveiller, elle le fait suivre.

Catchpole story
Catherine Storr

Trois enfants assaillis de questions par des inconnus... curieux, non ? Un sac rempli de bijoux se retrouvant chez eux... étrange, n'est-ce pas ? Le petit garçon de la famille kidnappé... là, ça devient angoissant. Et les parents dépassés par les événements, c'est le bouquet ! Pourtant, l'enquête ne fait que commencer.

Des livres plein les poches, POCKET jeunesse des histoires plein la tête